# ¡QUIERO MÁS!

CONSEJOS Y RECETAS PARA QUE LOS NIÑOS COMAN DE TODO

Cristina y Geles Duch Canals

# ¡QUIERO MÁS!

## CONSEJOS Y RECETAS PARA QUE LOS NIÑOS COMAN DE TODO

integral

REALIZACIÓN EDITORIAL:

Bonalletra Alcompás, S.L.


DISEÑO Y MAQUETACIÓN:

Natalia Margarit para Bonalletra Alcompás, S.L.


PRODUCCIÓN Y DISTRIBUCIÓN:

RBA Libros, S.A.

Santa Perpètua, 10-12

Tel. 93 217 00 88

Fax: 93 217 11 74

www.rbalibros.com

Impreso en: EGEDSA

Ref.: OAGO172

ISBN: 978-84-896-6244-5

Depósito legal: B-42.280-2007

Para ti mamá,
gracias por todo.

# Sumario

# Presentación

Cristina y Geles Duch Canals

Los niños de hoy en día tienen una vida diferente a la que teníamos antes. Todo es más rápido, tienen más obligaciones, pero sobre todo tienen dos factores que les hacen diferentes a cuando nosotros eramos pequeños: la mayoría de nosotros teníamos una madre que no trabajaba (fuera de casa) y teníamos descampados o una calle a donde ir a jugar cuando salíamos del cole.

De estas condiciones salen dos reflexiones. En primer lugar, la falta de tiempo derivada del trabajo fuera de casa hace que la mayoría de las familias le dediquen poco tiempo a la cocina, echando mano de alimentos preparados, como pizzas o bocadillos, o bien utilizando productos precocinados o alimentos que van a la freidora. Esos alimentos no deben prohibirse, pero hay que saber gestionarlos.

La premisa es cocinar rápido y que guste a todos para no tener que discutir (es muy cansado discutir con niños). Por lo tanto, cada vez se consumen menos alimentos difíciles de cocinar y gustar: legumbres, verduras o pescados. Y las frutas se están sustituyendo por postres elaborados (yogures, natillas, flanes…).

En segundo lugar, el no tener un espacio donde jugar después del cole convierte a éste en el único sitio donde los niños pueden realizar alguna actividad física más larga. Si encima no se quedan a comer en el comedor o salen a las dos, la actividad física queda relegada a la media hora del patio.

Todo ello tiene varias consecuencias, siendo dos de las más relevantes:

· Un incremento muy importante de consumo de calorías en forma de grasas y azúcares simples.

· Una carencia cada vez mayor de micronutrientes muy importantes, como el calcio, el hierro y las vitaminas.

Esta realidad se ve reflejada en los tristes datos de obesidad infantil, que apuntan a que el 26% de los niños de España tienen sobrepeso y casi el 14% son obesos. La mayoría de estos niños, de mayores, serán obesos, con todas las enfermedades que eso conlleva.

En este libro, queridos lectores, no vais a encontrar sermones ni recetas para volver a cocinar como en tiempos de nuestras madres. Deciros que dejéis de trabajar para poder hacer platos de tres horas de cocción a vuestros hijos nos parece una tontería, además de un fracaso asegurado. Nosotras sabemos bien de lo que hablamos: Geles tiene dos hijos de 10 y 4 años y yo (Cristina), tengo tres (7, 5 y 1 año), trabajamos fuera de casa y también llegamos cansadas por la noche después de «la marcha» diaria.

Os proponemos una manera rápida y práctica de planificar la alimentación de la familia. Los consejos de la primera parte son fáciles de seguir y, en cuanto a las recetas, vais a comprobar que son sencillas, rápidas y que en muchos casos nos ayudamos de productos preparados que nos facilitan el trabajo. La mayor parte de ellas no tiene ni dibujitos ni patatas en forma de corazón, no es nuestro estilo.

Con ellas os queremos proporcionar herramientas para dar de comer a toda la familia e incluso para recibir invitados, evitando a toda costa aquello de hacer tres menús diferentes.

Sin embargo, hay una cosa que está clara: el trabajo final os corresponde a vosotros, tomaos el tema de la alimentación de los niños como una parte más de su educación, no cedáis a las pataletas ni al chantaje, y si os empiezan con la «pena», preguntad en el colegio si en el comedor escolar se comen el tomate que en casa rechazan.

Que aprendan a comer bien es tan importante como que hagan los deberes o se duchen cada día, y si ponéis energía en ello, podeis estar seguros de que lo conseguiréis.

Sólo nos queda agradeceros la confianza que habéis depositado en nosotras al comprar este libro. Muchísimas gracias y no olvidéis nuestro lema:

Nunca le cambies a un niño el plato que ya le has puesto, ¡como mínimo que lo pruebe!

Queremos agradecer a Miguel y Guille por hacer de «catadores» de todas nuestras recetas.
A Carina Pons y Marta Sevilla por hacer posible que saliera este libro, a Mónica Garcia por «hacerme de brazo», a Margarita Ferrer, Mercè Gomez, Lidia Cerro y Lourdes Martin por ayudarnos a repasar y a Carlota Mondón y las «Friends» por leérselo con tanta eficacia.
A todos, muchísimas gracias.

## Símbolos
## que acompañan a las recetas

La segunda parte del libro
contiene un completo recetario
para elaborar deliciosos y sencillos
platos. Cada receta aparece
acompañada de algunos
de los siguientes símbolos.

 Receta apta
para ovolactovegetarianos

 Receta apta para celíacos

 Receta apta para vegetarianos

 Receta sin lactosa

 Máximo 15 de minutos
de elaboración

 Máximo 30 minutos
de elaboración

 Receta para microondas

 Receta para *Thermomix*

 Indicado para niños de 1 a 3 años

# LA ALIMENTACIÓN INFANTIL

Una completa guía nutricional para conocer las necesidades de los pequeños,
así como la forma de lograr que coman de todo,
y en las cantidades adecuadas.

Conseguir que los niños tengan una alimentación saludable es uno de los pilares básicos de la educación, al depender de ella no sólo su crecimiento, desarrollo físico y psíquico, sino en buena parte su salud y calidad de vida futura.

Desgraciadamente, hoy en día la alimentación infantil española ya no es la que era: ha empeorado, nuestro país es el cuarto de Europa en obesidad infantil, y este cambio se debe a diversas causas:

* Falta de conocimientos básicos de nutrición, compras bajo el influjo de la superoferta y la publicidad alimentaria actual.

* Abandono en muchos casos de la gastronomía familiar. No se cocina.

* Falta de tiempo y conocimientos sobre cómo cocinar rápido.

* No se da importancia a la educación alimentaria, que por otro lado requiere gran dedicación.

* Delegación en personas ajenas de la alimentación de los niños.

* Confianza en que en el colegio ya comen bien.

* Abandono de la disciplina alimentaria. Por ejemplo: antes «tocaba» comer 2 veces por semana legumbres y se cumplía, apeteciera o no.

Los primeros años de la vida son importantísimos para que el niño adquiera unos buenos hábitos y conducta alimentarios, sea capaz de conocer los alimentos, apreciar sus diferencias y para qué sirven.

En resumen, aprender a comer de todo, ya que la norma más importante de una alimentación sana es la variedad. Llevar una alimentación sana es comer de todo de manera moderada.

## ¿Qué es la nutrición? ¿Qué es la alimentación?

Es muy importante distinguir entre alimentación y nutrición.

La nutrición es el conjunto de procesos fisiológicos por los cuales el organismo recibe, transforma y utiliza las sustancias químicas (nutrientes) contenidas en los alimentos; es un proceso involuntario.

En cambio, la alimentación es una serie de actos voluntarios cuyo objetivo es proporcionar alimento al cuerpo. Éstos van desde elegir, comprar y cocinar los alimentos hasta introducirlos en la boca y tragarlos.

Por lo tanto, sólo hay una manera de intervenir en nuestra nutrición y es por medio de la alimentación; influir en esta última solo es posible consiguiendo unos hábitos alimentarios saludables y eso únicamente se logra conociéndolos. Los niños nacen sin hábitos, creárselos buenos o malos es responsabilidad de los padres e influirán positiva o negativamente en la salud física y mental del niño el resto de su vida.

Es básico que la alimentación (parte voluntaria) sea gestionada de manera que nos aporte todos los nutrientes necesarios, para que nuestro organismo pueda realizar todas sus funciones vitales.

## Funciones y clasificación de los nutrientes y los alimentos

Los nutrientes son las sustancias químicas contenidas en los alimentos, se clasifican en grupos según la función que realizan en nuestro cuerpo:

Podemos sugerir a las abuelas que enseñen a cocinar a sus hijos y nietos.

* Función energética.
* Función constructora.
* Función moduladora.

**Clasificación de los nutrientes según su función**

| Nutrientes energéticos | Hidratos de carbono o glúcidos |
| | Grasas o lípidos |
| Nutrientes constructores o que ejercen una función | Proteínas |
| Nutrientes moduladores | Vitaminas |
| | Minerales |

Clasificación de los hidratos de carbono

| Hidratos de carbono simples | Hidratos de carbono complejos |
| --- | --- |
| Todos los azúcares (sacarosa, fructosa, glucosa) | Cereales (mejor integrales) |
| Zumos de frutas (artificiales con azúcar añadido) | Legumbres |
| Galletas y bollería | Pan |
| Miel | Maíz |
| | Patata |
| | Arroz (mejor integral) |
| | Pasta alimenticia (de vez en cuando introducirlas integrales o con fibra) |

Si se come de todo moderadamente, seguro que el niño lleva una alimentación sana.

## Nutrientes energéticos

Son los encargados de suministrar la energía que el cuerpo necesita para realizar todas sus funciones vitales, como mantener el calor corporal y el funcionamiento de los órganos vitales, correr, jugar, crecer. Se dividen en dos grupos:

### Hidratos de carbono

En primer lugar, es necesario dejar claro que la mayor parte de la energía que el cuerpo humano necesita para funcionar correctamente se obtiene por medio del consumo de los denominados *hidratos de carbono*, que se clasifican en:

* Carbohidratos de absorción lenta o complejos: pan, pasta, patatas, arroz y legumbres.

* Carbohidratos de absorción rápida o refinados: azúcares en general.

Los hidratos de carbono complejos han de ser el 85% de nuestro consumo total de carbohidratos. Éstos nos aportan, además de energía, vitaminas, minerales y fibra.

Los hidratos de carbono complejos se digieren y se absorben lentamente proporcionándonos durante más tiempo glucosa en la sangre. Ésto nos ayuda a tener menos «bajones» durante el día y por lo tanto experimentaremos menos hambre. Desayunar cereales o pan integral hace que no desfallezcamos a media mañana, lo que puede servir para niños con sobrepeso.

## RESUMEN

Un exceso de ingesta de hidratos de carbono simples (todos los azúcares, zumos de frutas artificiales, galletas, bollería, azúcar y miel) contribuye a:

* Disminuir el consumo de otros componentes esenciales en la dieta como proteínas, vitaminas y minerales.

* Formar caries dental.

* La aparición de la obesidad.

Una carencia de hidratos de carbono conlleva:

* Dietas con exceso de grasas y proteínas, con el posible problema de falta de energía en los niños.

**Para una dieta equilibrada deberíamos tomar la siguiente proporción de hidratos:**

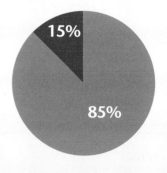

Hidratos de carbono simples
Hidratos de carbono complejos

## Grasas o lípidos

Las grasas constituyen las reservas de energía para el organismo. Forman parte del tejido adiposo y de las membranas celulares. Se dividen en:

* **Grasas saturadas:** son sólidas a temperatura ambiente y las encontramos en el mundo animal (grasa de cerdo, lácteos enteros, huevos) y en el mundo vegetal (coco, aceite de palma).
  Su consumo en exceso es perjudicial, no ha de tomarse más de un 10% de grasas saturadas del total de las grasas consumidas en el día (actualmente, casi todos los niños toman más).

* **Grasas insaturadas:** son líquidas a temperatura ambiente. Las encontramos en alimentos de origen vegetal (en aceites vegetales y frutos secos) y de origen animal, especialmente el pescado azul. Las fuentes más abundantes en nuestro país son el aceite de oliva y el de girasol. Son grasas de mejor calidad nutricional, pero no por ello hay barra libre en su consumo. Estos aceites se oxidan cuando se calientan a más de 160 °C (que es cuando se oscurecen) y pasan a ser nocivos para la salud. Para cocinar hay que usar el aceite de oliva ya que se oxida (cuando se oscurece) a mayor temperatura que el de girasol y el de maíz. Nunca hay que reutilizar el aceite oscurecido.

Es recomendable comprobar en las etiquetas de los alimentos cuánta grasa contienen y de qué tipo. Puede que os llevéis una sorpresa. ✐

### RESUMEN

* Una alimentación sin grasa nunca es equilibrada.
* Un exceso en el consumo de grasas saturadas (de origen animal en su mayoría) eleva el nivel de colesterol malo y por tanto el nivel de colesterol en la sangre, con los consiguientes problemas cardiovasculares.
* Una alimentación equilibrada en ácidos grasos insaturados (aceites vegetales, sobre todo el de oliva) eleva el nivel de colesterol bueno, lo que favorece la eliminación del colesterol en sangre y disminuye el nivel de colesterol malo.
* Los ácidos grasos poliinsaturados (pescado azul, aceite de girasol...) disminuyen el nivel de colesterol malo.
* Las grasas son imprescindibles para el organismo, pero su consumo ha de ser moderado, sobre todo las saturadas.

## Nutrientes constructores

### Proteínas

Tienen funciones constructoras o reparadoras. Son los nutrientes que se encargan de formar los tejidos, huesos y órganos. Además, a partir de las proteínas se forman sustancias imprescindibles para el organismo, como las hormonas, las enzimas o el ADN. Se dividen en:

* **Proteínas animales:** todas las provenientes del mundo animal: la leche y sus derivados, carnes, aves, pescados, huevos, mariscos, moluscos, etc.

* **Proteínas vegetales:** legumbres, setas, cereales, algas, etc.

No olvidemos que el consumo infantil de lácteos y embutidos por lo general es alto y éstos son alimentos ricos en proteínas animales. ✎

## RESUMEN

Un exceso proteico puede conllevar:
* Alteraciones en el riñón.
* Alteraciones en el hígado.
* Desmineralización ósea.
* Artrosis.
Sobre todo por el consumo de las proteínas de origen animal.

Una carencia proteica puede conllevar:
* Adelgazamiento.
* Falta de crecimiento.
* Pérdida de fuerza.
* Alteraciones nerviosas.

## Consumo semanal de proteínas

De las 14 raciones de alimentos proteicos a la semana (2 raciones al día, almuerzo y cena) sería recomendable que:

**8 raciones fueran de proteína animal:** 60%
* 1 de carne roja.
* 3 o 4 huevos.
* 2 de pescado.
* 2 de pollo.

**6 raciones fueran de proteína vegetal:** 40%
Ejemplo:
Combinado de legumbres más cereal
* Lentejas o garbanzos con arroz.
* *Hummus* con pan (véase receta de la página 86).
* Lentejas más pasta de sopa.
* Garbanzos más arroz.

| Relación proteica | | | | |
|---|---|---|---|---|
| 100 g de carne = | 120 g de pescado = | 2 huevos = | 100 g de embutido = | 250 g de legumbres cocidas |

## Nutrientes moduladores

Sin ellos no se podrían hacer la mayoría de las funciones. Son las vitaminas y los minerales. El hecho de que se tomen en menor cantidad no les resta importancia. Se encuentran preferentemente en las verduras, las frutas, las legumbres, los frutos secos y los productos integrales.

Un defecto de vitaminas conduce a una incapacidad mayor o menor de llevar a cabo aquellos procesos metabólicos en que se vean implicadas, lo que a la larga puede tener diversas consecuencias entre las que podemos destacar:

No es recomendable dar suplementos vitamínicos a los niños sin el control del pediatra, ya que les puede llevar a una hipervitaminosis que podría acarrear toxicidad, fatiga, dolores óseos o insomnio, entre otras dolencias.

* Falta de crecimiento óseo.
* Falta de calcio en la sangre.
* Pocas defensas frente a agresiones externas.

Una carencia de minerales puede producir:

* Importantes déficits en el futuro ya que, como en el caso del calcio, la base ósea se forma especialmente hasta los 25-30 años.

* Que en las épocas de estirones su déficit pueda influir en el crecimiento.

* Déficit de hierro (muy habitual entre la población adolescente, sobre todo niñas), que puede ser responsable de la típica desgana que muestran los escolares en esa edad.

* La carencia de cinc, que puede provocar un retraso en la maduración sexual y en el crecimiento en general.

* Falta de calcio, que es es imprescindible para conseguir una estructura ósea fuerte y prevenir la osteoporosis en un futuro.

# Los alimentos y sus grupos

**La rueda de los alimentos**

Los alimentos se pueden dividir en:

- Cereales y legumbres.

- Alimentos grasos.

- Carnes, pescados y huevos.

- Lácteos.

- Verduras, hortalizas y frutas.

Los alimentos son compuestos provenientes de la naturaleza formados por distintos nutrientes. Cada uno de los alimentos tiene una composición diferente.

Unos son muy completos y prácticamente tienen todos los nutrientes, como la leche, y otros muy sencillos, que sólo contienen un nutriente, como es el caso del azúcar.

El conocimiento de esta composición es útil para saber escoger entre varios alimentos que tengan una función similar y así conseguir una alimentación más variada.

**Los alimentos pueden clasificarse atendiendo a diferentes criterios:**

1. Por su origen: animal o vegetal.
2. Por su composición (dependiendo del nutriente dominante): hidratos de carbono, grasas y proteínas.

Sobre la base de estos criterios dividiremos los alimentos en:

* Cereales y legumbres (los farináceos).
* Verduras, hortalizas y frutas.
* Carnes, pescados y huevos.
* Lácteos.
* Alimentos grasos.

No hay alimentos buenos ni malos, sino que todo depende de la cantidad, de cómo, cuándo, con qué y de qué forma se consumen.

## Los farináceos

Este grupo está formado principalmente por cereales y legumbres. Son ricos en hidratos de carbono, necesarios en una dieta saludable.

Los farináceos contienen proteínas que, a pesar de que son de un valor biológico inferior a las proteínas animales, son también necesarias. Asimismo contienen vitaminas del grupo B, hierro y fibra.

### CEREALES

Son los granos de ciertas plantas y contienen la reserva nutricional de éstas.

Están compuestos de hidratos de carbono, proteínas vegetales (en general poca), fibra, vitaminas del complejo B y minerales, los cuales se eliminan cuando se refinan los cereales.

Los más consumidos son:

* Trigo.
* Arroz.
* Maíz.
* Cebada.
* Centeno.

Son alimentos muy completos, pero a medida que les vamos quitando la cáscara (el salvado) para refinarlos, también les quitamos proteínas, vitaminas, minerales y fibras, haciendo estos alimentos menos nutritivos, tanto para adultos como para niños.

Los hidratos de carbono se han convertido en la base de la alimentación mundial y de

**Pan Integral**
Rico en fibra,
vitaminas y minerales
ALIMENTA MÁS

**Pan Blanco**
Pobre en fibra,
vitaminas y minerales
ALIMENTA MENOS

## Al cole ¡con bocadillos!, no con bollería. ✎

hecho difícilmente se consume la energía suficiente si no echamos mano de ellos. Los cereales han sido víctimas de una mala prensa, según la cual engordan, pero realmente lo que engorda es lo que los acompañe:

* En el bocadillo: el embutido y el aceite o margarina.

Es bueno acostumbrar a los niños a tomar alimentos integrales, y eso sólo lo haremos comiéndolos nosotros. ✎

* En la pasta: el sofrito y el queso.

* En la pizza: el embutido y la *mozzarella.*

El alimento estrella de los cereales es el pan. Éste, a pesar de lo mal que se habla de él, tiene que seguir siendo una parte importantísima en la alimentación básica del niño y no desterrarlo por alimentos industriales como la bollería. La pasta alimenticia es otro de los alimentos elaborados más usados en todo el mundo por:

* Ser un alimento muy rico en hidratos de carbono y también rico en proteínas.

* Permitir una gran variedad de platos, fáciles de preparar.

* No ser un producto caro.

* Ser un plato apetecible a todas las edades, sobre todo entre los niños, pero hay que dársela en diferentes formas y con distintas salsas para educarlos en la variedad nutricional.

A los niños celíacos hay que darles dulces, pan y pasta especiales para ellos. Conviene

| | | |
|---|---|---|
| Bocadillo de jamón york **394 kcal** (por 100 g) | < > | Hamburguesa de queso y beicon **660 kcal** (por 100 g) |
| Ensalada de pasta, champiñones, zanahoria y tomate cherry **200 kcal** (por 100 g) | < > | Macarrones con salsa de tomate y queso rallado **525 kcal** (por 100 g) |

consultar cualquier alimento que se consuma a la asociación de celíacos (ver recetas con el sello «Apta para celíacos»).

Hay que recalcar que si el niño es diabético se deben controlar las raciones de hidratos de carbono que toma al día.

## LEGUMBRES

Las legumbres son un conjunto de semillas comestibles que crecen y maduran dentro de una vaina que las protege y les sirve de envoltura. Sólo se comen sus semillas que, a excepción de los guisantes, nos las comemos secas. Las legumbres más abundantes en nuestra latitud son:

* Las judías secas, en todas sus variedades.
* Las lentejas.
* Los garbanzos.
* Los guisantes.
* Las habas.

Constituyen un grupo de alimentos muy homogéneo. El valor nutritivo de las legumbres secas es el más completo de los productos vegetales. Además de ser ricas en hidratos de carbono, las legumbres tienen proteínas y una cantidad moderada de grasa insaturada. Son también ricas en hierro, vitaminas y fibra.

Sus proteínas son de menor valor biológico que las de origen animal, pero mezcladas con cereales se equiparan a las animales: si se da a los niños, por ejemplo, un plato de lentejas con arroz no es necesario servirles un alimento proteico de origen animal después (carne, huevo, pescado). Si se les da legumbres con trocitos de chorizo, beicon o almejas (cualquier producto animal), no es necesario dar un segundo plato de proteína.

La fibra de la piel puede dificultar su digestibilidad ocasionando en algunos casos distensión abdominal (se hincha la barriga) y gases. En el mercado existen lentejas sin piel. Por otro lado, si se cuelan disminuye mucho su fibra.

Hoy en día se ha abandonado el hábito de comer legumbres y es un error, ya que son alimentos capaces, con un consumo regular, de prevenir y controlar varias enfermedades muy extendidas en la actualidad, como las dislipemias, la hipertensión, el cáncer de colon y de mama, la diabetes, la diverticulosis, el estreñimiento, las hemorroides, etc.

Hay que tratar de introducir el hábito de que cuando se toman legumbres se acompañen de un cereal, evitando así consumir un segundo plato de proteína animal (estaríamos aportando más proteína de la necesaria).

Las legumbres se deben complementar con verduras y frutas (véanse recetas con legumbres en la página 111).

## Verduras, hortalizas y frutas

Todas ellas son alimentos de origen vegetal cuyo nexo común es el aporte al organismo de agua, vitaminas (A, C, E y ácido fólico, entre otras), minerales (calcio, hierro y magnesio) y fibra.

Cada una tiene una composición en vitaminas y minerales diferente, por lo que para mantener una dieta equilibrada lo mejor es tomar una gran variedad de ellas. Siguiendo las temporadas, las consumiremos en mejores condiciones nutricionales, estado, sabor y precio.

Son alimentos perecederos, por lo que es mejor comprar poco y a menudo, ya que se altera su contenido en vitaminas y minerales. A excepción de las patatas, cebollas y ajos, lo mejor es que el resto de los vegetales se guarden en la nevera. Comprar verdura congelada de buena calidad, respetando la cadena de frío, nos garantiza que el aporte de nutrientes no sea muy inferior a las verduras frescas, aunque sí varía el sabor. A un niño puede que no le guste la congelada y sí la fresca.

Los niños por lo general no rechazan «toda la fruta», sino algunas. Hay que ir ofreciéndoles gran variedad de ellas para que vayan acostumbrándose y aceptándolas. Una buena idea es darles macedonias al principio con mucha cantidad de la fruta que les gusta y poca de las otras, y poco a poco ir equilibrando las cantidades.

Una buena fuente son los zumos naturales, aunque mejor no colarlos para perder menos fibra y otras sustancias.

Las verduras suelen ser un tema escabroso en la alimentación infantil. La mayoría de los rechazos se deben a que éstas se introdujeron tarde en la alimentación del niño o porque a los padres no les gustan.

Una forma de lograr que las coman (más adelante veremos otras) es utilizarlas como acompañamiento de pescados y carnes. Los tomates cherry son por su tamaño pequeño muy aceptados por los niños, además con ellos se van haciendo al sabor del tomate.

Se recomienda tomar cada día una ración de verdura cocida, una de verdura cruda y tres raciones de fruta, siendo una de ellas un cítrico.

Es muy importante que en la educación nutricional del niño se haga hincapié para que adquiera el hábito de tomar verduras, hortalizas y frutas cada día.

Así evitará, entre otros, problemas de cansancio y posibles enfermedades en un futuro por falta de vitaminas y minerales.

**Pautas para conservar y cocinar los vegetales a fin de que no pierdan vitaminas y minerales:**

## CÓMO CONSERVARLOS

* No exponerlos al sol.

* Almacenar los vegetales frescos poco tiempo.

* Si se almacenan frescos, la temperatura debe mantenerse entre 4 °C y 6 °C.

* Lavarlos cuidadosamente pero en un breve espacio de tiempo.

* No colocar en agua los limpios, sino en paños húmedos, bolsas de polietileno o papel, dentro de la nevera. Esto los mantiene frescos y limpios.

* Si los zumos de frutas se han de almacenar, hacerlo sólo durante poco tiempo, en recipientes opacos no metálicos con tapa.

## CÓMO PREPARARLOS

* No descongelar los vegetales, sino ponerlos directamente en el agua de cocción.

* No cortar excesivamente los vegetales antes de cocinarlos para evitar la oxidación.

* De los métodos de cocción, utilizar el cocinado a vapor, con microondas o hervido con muy poca agua.

* Recordar que freir es el método que más destruye las vitaminas.

* Reducir al mínimo necesario los tiempos de cocción.

* Elaborar los zumos de frutas inmediatamente antes de consumirlos.

* Colocar los vegetales y patatas en el agua hirviendo, para inactivar las enzimas que destruyen la vitamina C. Entre 70 ºC y 100 ºC se pierde poca vitamina C. La adición de mucha agua aumenta la actividad de esas enzimas. De todas maneras, es mejor el microondas, ya que no requiere agua.

* Comer los vegetales lo más rápido posible tras prepararlos, para disminuir la pérdida de vitaminas.

* Agregar perejil picado, cebollinos y zanahoria en dados a las sopas o caldos después de terminados. Así se eleva el valor nutritivo de estas comidas.

* Consumir tomates y pimientos con su piel. De esta forma se ingiere mayor cantidad de vitaminas y fibra dietética. Lavarlos antes.

* Cortar el tomate para ensaladas en secciones longitudinales para evitar pérdidas del jugo, pues en él que se encuentran disueltas cantidades importantes de vitaminas y minerales.

* Preparar las ensaladas crudas inmediatamente antes de consumirlas y agregarles rápidamente jugo de limón o vinagre. El medio ácido protege la vitamina.

* Dar prioridad a la ingestión de frutas frescas y ensaladas crudas, debido a la pérdida de vitamina C que sufren los alimentos cuando se cocinan.

* Preferir los pimientos crudos a los asados, pues contienen el doble de vitamina C.

Una dieta variada sólo es posible si se cuenta diariamente con verduras y frutas.

La campaña «5 al día» promueve el consumo de frutas y hortalizas y está cofinanciada por la Unión Europea y el Ministerio de Agricultura, Pesca y Alimentación.

frutas y hortalizas frescas 5 al día

Fuente: www.5aldia.com

## Carnes, pescados y huevos

Todos estos alimentos, a pesar de ser muy diferentes entre sí, tienen propiedades nutritivas similares:

* Son ricos en proteínas de alto valor biológico, es decir, que contienen todos los aminoácidos esenciales (unidades básicas que forman las proteínas y que nuestro organismo no puede fabricar).

* Carecen de hidratos de carbono.

* Han de tomarse con moderación, ya que tras la digestión liberarán un residuo (amoníaco) que no podemos eliminar.

* Son abundantes en fósforo, hierro y vitaminas del grupo B.

Y tienen propiedades diferentes:

* La carne roja (vacuno, cerdo, cordero, pato) y el huevo (yema) son ricos en grasa saturada, que en exceso es mala para el organismo.

* Las aves (excepto el pato) y el pescado blanco tienen poca grasa.

* El pescado azul es rico en ácidos grasos insaturados, considerados muy beneficiosos para la salud.

* El huevo es el alimento que contiene la proteína animal de mayor valor biológico; es la mejor para los niños además de que se puede preparar de muchas maneras, es económico y suele gustar a los pequeños. El huevo pasado por agua es el que mejor se digiere, así como cuajado o añadido a las sopas y cremas.

### CARNES

Dentro de las carnes encontramos:

* **Carnes rojas:** ricas en hierro, vitaminas del grupo B y grasa saturada.

Son la ternera, el buey, el cordero, el cerdo y el pato. Las carnes rojas tomadas con moderación son buenas por su aporte importante de hierro.

* **Carnes blancas:** tienen el mismo valor proteico que las rojas, pero menos grasas saturadas. Son el pollo, el pato y el conejo. El pollo tiene la grasa debajo de la piel, la cual se funde al cocerlo. Para una cocción sin grasa hay que cocer el pollo sin piel.

## PESCADOS

El pescado tiene casi la misma cantidad de proteínas que la carne, pero su contenido en grasa saturada es mínimo. Es rico en fósforo. Su valor energético va en función a la cantidad de grasa. Los pescados se pueden clasificar en:

* **Pescados blancos:** bajo contenido en grasas (0,2-5%) y de fácil digestión. Muy recomendables para los niños. Son la merluza, el rape, el lenguado y la dorada, entre otros.

* **Pescados azules:** ricos en grasas insaturadas (5-20%), omega 3, e imprescindibles para nuestro organismo. Son pescados más grasos, por lo que saciarán más. Son el salmón, la sardina, la caballa, el boquerón y el atún.

Fomentar el consumo de pescado entre los niños es muy importante desde que son muy pequeños. A los niños de 1 año les gusta el pescado más que a los de 9, por ello hay que potenciar su consumo desde la más temprana edad. Es fundamental enseñarles a comer varios tipos de pescado y sobre todo en su forma original, no sólo en barritas.

El pescado azul en forma de sardinas y boquerones no lo rechazan tanto. Hay que tener muy en cuenta que muchos niños (y no tan niños) rechazan el pescado por las espinas; para suplir esto, se puede empezar con filetes o troncos que no tienen espinas.

Yo he conseguido que un hijo mío, que tiende a ser reacio al pescado, lo coma cocinándolo al horno con un colchón de cebollas y patatas, rociado con limón y untado con un poco de mantequilla. Eso sí, lo sirvo casi sin espinas. Pero lo que he aprendido es que a veces intentando esconder los alimentos «no deseados» no se logra un mejor resultado.

## EMBUTIDOS

Son derivados del cerdo, ricos en grasas saturadas, aunque hoy en día empiezan a hacerse embutidos provenientes de pollo y pavo que tienen menos grasas saturadas. Ambos son abundantes en proteínas animales.

Es recomendable tomarlos con moderación.

Podemos dividir los embutidos por su contenido en grasas saturadas.

**Embutidos menos grasos:** jamón serrano, lomo embuchado y pechuga de pavo ahumada.

**Embutidos más grasos:** chorizo, salami, fuet, salchichón, mortadela, chopped, butifarra blanca, morcilla y jamón york.

Es recomendable tomar los embutidos con moderación y no usarlos como sustitutos de la cena, sino para los bocadillos del colegio, procurando usar aquellos que sean poco grasos.

**Relación de alimentos ricos en hierro**

| Alimentos (100g) | Hierro (mg) |
|---|---|
| Berberechos, enlatados al natural | 25,60 |
| Mejillones | 8,35 |
| Hígado de buey | 7,20 |
| Piñones crudos | 5,60 |
| Carne de buey | 4,00 |
| Anchoas en aceite | 3,70 |
| Almendras crudas | 3,59 |
| Avellanas | 3,40 |
| Lentejas hervidas | 3,30 |
| Garbanzos hervidos | 2,80 |
| Alubias blancas hervidas | 2,60 |
| Carne de cordero | 2,50 |
| Espinacas hervidas | 2,40 |
| Huevo de gallina cocinado | 1,80-2 |
| Carne de pollo | 1,50 |
| Jamón york | 1,00 |
| Peras | 0,30 |
| Leche | 0,07 |

El hígado sólo es recomendable darlo si es ecológico ya que es el único que no tiene un alto contenido en antibióticos y toxinas.

## RESUMEN

* No debiera tomarse más de 1 vez a la semana carne roja.
* Ha de tomarse 2-3 veces a la semana pescado, recordando que debe consumirse pescado azul.
* Se pueden tomar 3-4 huevos semanales.
* No es bueno un exceso de proteínas, puede acarrear enfermedades en el futuro.
* Hay que tener en cuenta que los productos lácteos también contienen proteínas.

## Lácteos

Este grupo está constituido por la leche y todos sus derivados, como los yogures, quesos, etc.

La leche es uno de los alimentos más completos que nos da la naturaleza, ya que contiene hidratos de carbono y es rica en proteínas, grasa, minerales, calcio y vitaminas de los grupos B y A. Es un alimento muy importante en la edad de crecimiento y no debe dejarse si no es por circunstancias muy concretas, como la intolerancia a la lactosa o la alergia a la proteína de la leche. En el primer caso, la

No se debe dejar
de dar lácteos a los niños
sin el consejo de un
nutricionista o pediatra,
ya que podría ocasionar
osteoporosis.

**Relación de alimentos ricos en calcio**

| Alimentos (100g) | Calcio (mg) |
|---|---|
| Queso emmental | 1.185 |
| Queso parmesano | 1.275 |
| Requesón | 591 |
| Queso roquefort | 600 |
| Queso camembert | 335 |
| Sardinas en conserva | 314 |
| Anchoas en conserva | 273 |
| Espinacas | 256 |
| Almendras | 250 |
| Queso de vaca fresco | 190 |
| Queso de cabra fresco | 150 |
| Yogur natural | 137 |
| Leche entera | 117 |
| Leche desnatada | 114 |
| Flan de huevo | 93 |
| Soja cocida | 83 |
| Huevo duro | 53 |
| Lentejas hervidas | 19 |
| Atún | 16 |
| Mantequilla | 15 |
| Carnes | 10 |
| Aceite de oliva | 0 |

mayoría de los niños podrán tomar derivados como el yogur y el queso y, en el segundo, se ha de saber sustituir muy bien por otros alimentos ricos en calcio (véase el capítulo de alergias e intolerancias).

A los niños hay que darles leche entera o bien semidesnatada, pero no desnatada ya que disminuirá en gran medida la absorción del calcio.

Si al niño no le gusta la leche, no lo fuerces ya que la rechazará: puedes sustituirla por yogur, queso..., pero hay que vigilar las cantidades que consume para llegar a la dosis de calcio necesaria.

**Equivalencias de calcio**

| 1 vaso de leche (200 ml) |
|---|

= 2 yogures = 2-3 yogures líquidos = 80-100 g queso fresco = 40-60 g queso manchego

Las reservas de calcio se van adquiriendo casi en su totalidad hasta los 30 años. Cuanto más abundante sea, menos riesgo de osteoporosis habrá.

## Alimentos grasos

Los alimentos grasos están constituidos por ácidos grasos y en función de qué tipo sean éstos variará su estructura física. Así, tenemos:

### GRASAS

Forman parte de los alimentos animales, tienen un gran contenido en ácidos grasos saturados y por ello son sólidas a temperatura ambiente. Podemos cita entre las grasas: la manteca de cerdo, la mantequilla, la grasa de la carne, del queso y de la leche.

### ACEITES

Proceden de un fruto, como el de oliva, o de semillas como los de girasol, soja y maíz. Están compuestos en su mayoría por ácidos grasos insaturados y son líquidos a temperatura ambiente.

El aceite de oliva se considera el mejor aceite para la salud. Hay en el mercado diferentes tipos:

* **Aceite de oliva virgen**

  Se obtiene de la extracción mecánica y es realmente el zumo de la aceituna el que mantiene prácticamente toda la riqueza nutricional de este fruto (ácidos grasos insaturados, vitaminas A y E). Para que no pierda la vitamina E tiene que estar protegido de la luz.

* **Aceite de oliva refinado**

  Se obtiene mediante la extracción química, en cuyo proceso pierde mucho sabor y aroma, además de gran parte de las vitaminas. Es una mezcla de aceite de oliva refinado y aceite de oliva virgen para mejorar el sabor.

* **Aceite de orujo de oliva**

  Su calidad nutricional y organoléptica es muy inferior a los demás aceites.

### MARGARINAS

Son aceites vegetales que por procedimientos químicos se solidifican, si las margarinas proceden de aceites vegetales (girasol, maíz y oliva). Conviene comprobar en la etiqueta de las margarinas que no tengan ácidos grasos trans (ya que éstos son muy nocivos para la salud).

## FRUTOS SECOS

Son todos aquellos frutos secos grasos como las almendras, avellanas, cacahuetes, piñones, nueces, pistachos, etc. Contienen gran cantidad de ácidos grasos poliinsaturados e hidratos de carbono, y son ricos en minerales como el hierro y el calcio. Sus grasas hacen que sean muy beneficiosos para la salud. La almendra es el fruto seco que más calcio contiene. Es muy bueno que los niños consuman frutos secos habitualmente; además, les gustan mucho.

## RESUMEN

* No se puede vivir sin grasas, pero su consumo ha de ser moderado, sobre todo el de las grasas saturadas.
* El aceite se conserva mejor en ambiente seco, fresco, oscuro y protegido del aire.
* No es bueno utilizar los aceites para freír más de una vez.
* El aceite de oliva aguanta mejor la temperatura que el de girasol, por lo que es preferible freír con el primero.
* No es bueno dejar humear los aceites, se oxidan.
* Es muy sano el hábito de tomar un puñado diario de frutos secos. Mejor si el puñado contiene una variedad de ellos.

## Dulces

Es la perdición nutricional de los niños y de una buena parte de los mayores.

El azúcar, los bollos y las chuches están compuestos por sacarosa, fructosa y glucosa, todas ellas hidratos de carbono simples de rápida absorción, pero sin otros nutrientes como vitaminas o minerales.

Además, los dulces suelen ser ricos en conservantes. El consumo moderado es bueno para los niños ya que les aporta energía rápida.

| Cantidad de azúcar de algunos alimentos muy comunes para los niños | | |
|---|---|---|
| 330 ml de refresco (1 lata) | 32 g | de azúcar |
| 1 barra rellena de chocolate | de 20 a 32 g | de azúcar |
| 5 caramelos (chuches) 20 g | 19 g | de azúcar |
| 1 polo (50 g) | 15 g | de azúcar |
| 1 barra de chicle | 13,5 g | de azúcar |
| 2 bolas de helado | 8,5 g | de azúcar |
| 1 Donut | 8,5 g | de azúcar |
| 1 vaso de zumo artificial | 8 g | de azúcar |
| 1 cruasán | 7,5 g | de azúcar |
| 1 yogur aromatizado | de 5 a 8 g | de azúcar |
| 1 barrita de chocolate (tipo Kit Kat) | 4 g | de azúcar |
| 1 pastilla de chocolate negro (8 g) | 5 g | de azúcar |

## La bebida

El agua es el componente mayoritario del cuerpo humano, sin ella la vida sería imposible.

Nacemos con un 80% de agua y en la vejez tenemos un 60%, es decir, la vida es un proceso de deshidratación.

El agua es el medio en el que se realizan todos los procesos bioquímicos que se requieren para la vida.

La cantidad de agua que el cuerpo necesita cada día varía según muchas circunstancias, pero en condiciones normales a una temperatura de 20 °C debe ser de 2,5 litros. Esta cifra es superior si hace mucho calor o si se tiene fiebre, vómitos, diarrea. Esta cantidad de agua necesaria la tomamos mediante las bebidas y los alimentos. Si tenemos una alimentación variada, ésta nos aporta sobre 1-1,5 litros, el resto hay que tomarlo en bebida.

Es muy importante no desacostumbrar a los niños a beber agua, recordemos que es la primera palabra que dicen. El agua para ellos es esencial por lo que no hay que intentar introducir refrescos ni zumos artificiales. Tomarlos hace que, a pesar de tomar líquido, se abuse de azúcares, colorantes, edulcorantes, conservantes e incluso excitantes y gas. Para ello es importante que no nos vean tomando este tipo de bebidas.

Los zumos artificiales (la mayoría «chuches líquidas») están compuestos por agua, azúcar y colorantes. Su consumo se ha incrementado en un 200% a la par que la obesidad infantil.

No compréis zumos: que en el día a día no formen parte de la alimentación infantil. No hay ninguna necesidad de darles zumos para llevar al colegio, que beban agua, como se hizo siempre.

Si se quiere zumo, que sea natural. Enseñándoles que el verdadero zumo sale de las frutas, ellos aprenderán enseguida. Además, se pueden hacer zumos naturales muy variados.

## RESUMEN

* Recordar que lo mejor que podemos dar para beber a los niños es el agua.
* No proporcionarles un exceso de refrescos y zumos artificiales.
* Moderar el consumo de refrescos con y sin cafeína.
* Los niños no pueden tomar alcohol, ni siquiera vino ni cerveza.

Una alimentación equilibrada debe ser variada, agradable, adaptada y suficiente. ✎

## ¿Qué es una alimentación equilibrada?

Hay que enseñar que la alimentación equilibrada o racional tiene que ser VARIADA, AGRADABLE, ADAPTADA (a las diferentes situaciones, tanto socioculturales como a la edad y el sexo) y SUFICIENTE.

Decimos que debe ser VARIADA porque:

El concepto de variedad incluye tanto ingerir alimentos de todos los grupos, como variar dentro de un mismo grupo. Es decir, hay que tomar fruta, pero no sólo plátano.

Incluye también el concepto de AGRADABLE. Hoy en día es enorme la oferta de alimentos que tenemos y debemos aprovecharla para conseguir que nuestra alimentación no sea únicamente una necesidad fisiológica, sino también un placer.

Debe ser ADAPTADA a las diferentes situaciones, tanto a la salud como a las situaciones culturales, a la edad y al sexo: de nada sirve dar un alimento muy sano y bueno pero sólido a un bebé que no tiene dientes.

Y debe ser SUFICIENTE en cuanto a las necesidades del organismo, que pueden variar según el niño y su actividad física.

| En una dieta equilibrada es necesario distribuir la energía de esta forma: | |
| --- | --- |
| Proteínas | 10-15% |
| Grasas | 30% |
| Hidratos de carbono | 60-65% |

# El crecimiento y las necesidades de alimentación según la edad

En la primera etapa de la vida, el bebé no tiene madurados en su totalidad el aparato digestivo, los riñones, el sistema inmunitario ni la regulación del apetito, por lo tanto las necesidades serán especiales.

**Hay tres etapas en la evolución:**

* Período lácteo, en el que la leche es su único alimento. El lactante es capaz de succionar y deglutir pero no puede digerir algunas proteínas. Esta fase dura 6 meses.

* Período Beikost, en el cual se les va introduciendo alimentos no lácteos, cocinados adecuadamente en consistencia y cantidad, para ayudar al desarrollo neuromuscular. En este período, el niño va a empezar a conocer los alimentos, a masticar y a distinguir sabores y olores. También se desarrollan los sentidos de modo que pueda pasar de succionar a comer con cuchara, cambiando de textura de líquido a triturado y así a los 18 meses será capaz de conocer alimentos básicos y gustos fundamentales como dulce, salado, ácido y amargo. Aquí es cuando empieza una buena educación nutricional, consiguiendo que el niño vaya abriendo su abanico de alimentos sin darse apenas cuenta.

* Período de maduración digestiva, durante el cual todos los mecanismos fisiológicos e inmunitarios van madurando para poder llegar a una diversificación amplia de alimentos.

Cumplidos los tres años los niños experimentan un crecimiento más lento pero continuo durante una etapa bastante larga (edad escolar). Las necesidades nutritivas de estos años dependen del ritmo de crecimiento individual, del sexo, de la actividad física y la capacidad de absorción, ello hace que esta época sea muy sensible a cualquier carencia o desequilibrio comprometiendo el crecimiento y desarrollo del niño. Es por ello por lo que hay que estar muy vigilante para conseguir que los niños amplíen su oferta alimentaria. Es la

**Es muy importante que el total de la energía consumida durante el día esté distribuida de la siguiente forma:**

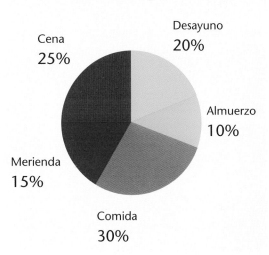

Cena 25%
Desayuno 20%
Almuerzo 10%
Merienda 15%
Comida 30%

época en la que hay que hacer maravillas para que coman verduras, fruta, pescado, legumbres. Hay trucos, formas de cocinar y presentar los platos que ayudan a que los niños no se cierren a los alimentos más difíciles para ellos.

A partir de los 12 años entran en una etapa de fuerte crecimiento, por lo que se ven muy aumentadas las necesidades nutritivas. Es la época en la que los hijos comen bastante más que sus padres, pero también es una época peligrosa ya que pueden surgir algunos trastornos alimentarios, producidos muchas veces por influencia de la sociedad. Si, por ejemplo, un adolescente quiere adelgazar, lo importante es hacer que reduzca su ingesta de alimentos industriales y bebidas gaseosas, pero no descartar grupos de alimentos (pan, pastas, grasas o aceites) puesto que influiría negativamente en su crecimiento y su educación nutricional.

## Las necesidades

Tal como se ha dicho, las necesidades varían según la edad y las circunstancias.

En las páginas 44, 45 y 46 se muestran las diferentes necesidades que tienen los niños.

Para que una dieta sea saludable, no hace falta obsesionarse con las calorías, proteínas, etc.; es mejor prestar atención a comer variado, moderando alimentos que no son nutritivos como golosinas, zumos, bollería industrial, e insistiendo en los alimentos que realmente ayudan al crecimiento.

**Recomendaciones de energía, proteínas, calcio y hierro para cada edad**

| Años | Energía (kcal) | Proteínas (g) | Calcio (mg) | Hierro (mg) |
|---|---|---|---|---|
| 3-5 | 1.700 | 30 | 800 | 9 |
| 6-9 | 2.000 | 36 | 800 | 9 |
| Niños | | | | |
| 10-12 | 2.450 | 43 | 1.000 | 12 |
| 13-15 | 2.750 | 54 | 1.000 | 15 |
| Niñas | | | | |
| 10-12 | 2.300 | 41 | 1.000 | 18 |
| 13-15 | 2.500 | 45 | 1.200 | 10 |

Raciones recomendadas por día de los distintos grupos de alimentos

| Grupos de alimentos | Raciones |
| --- | --- |
| Farináceos | 4-6 |
| Verduras y hortalizas | 2-3 (mínimo una cruda) |
| Frutas | 2-3 (mínimo una cruda) |
| Lácteos | |
| Infancia | 2-3 |
| Adolescencia | 3-4 |
| Alimentos proteicos (carnes, pescados, huevos, legumbres) | 2 |
| Aceite, azúcar y sal | Poca cantidad |

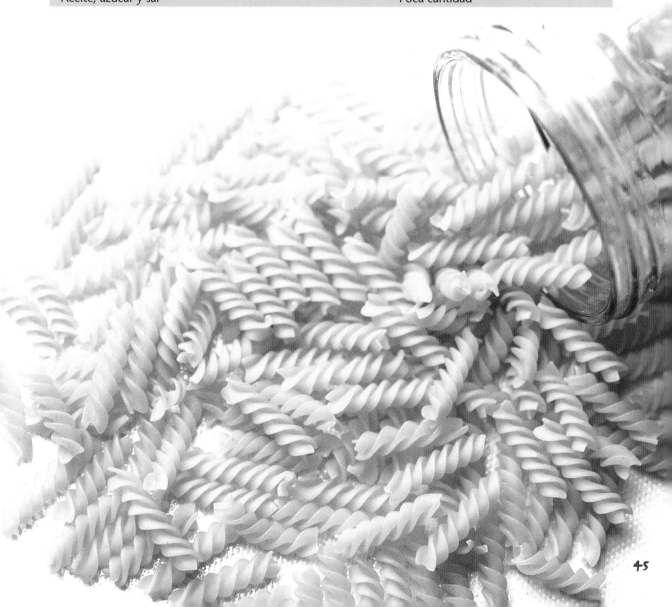

Peso neto de las raciones individuales recomendadas por cada alimento

| | 2-6 años | 7-12 años | 13-16 años |
|---|---|---|---|
| **Lácteos** | | | |
| **Leche** | 150 ml | 200-250 ml | 200-250 ml |
| **Yogur** | 1 unidad | 2 unidades | 2 unidades |
| **Requesón y quesos frescos** | 40-60 g | 60-80 g | 80-100 g |
| **Queso** | 20-40 g | 30-40 g | 30-40 g |
| **Carnes** | | | |
| **Carnes** | 50-70 g | 80-100 g | 100-120 g |
| **Pescados** | 80-100 g | 100-110 g | 100-120 g |
| **Jamón cocido (para bocadillos)** | 60-80 g | 80-100 g | 100-120 g |
| **Huevos (50-60 g)** | 1 unidad | 1,5 unidades | 2 unidades |
| **Pollo (150 g)** | 80-100 g | 100-120 g | 100-150 g |
| **Farináceos** | | | |
| **Pan** | 30-40 g | 50-80 g | 80-100 g |
| **Biscotes o cereales** | 30 g | 50 g | 75 g |
| **Arroz o pasta (crudo)** | 30-50 g | 50-100 g | 50-100 g |
| **Pasta para sopa** | 25-40 g | 35-50 g | 35-50 g |
| **Patatas** | 150-200 g | 200-250 g | 250-300 g |
| **Legumbres (crudo)** | 40-50 g | 50-100 g | 50-100 g |
| **Frutas** | | | |
| **En general** | 80-100 g | 100-150 g | 150-200 g |
| **Verduras** | | | |
| **En general** | 80-120 g | 150-200 g | 200-250 g |
| **Guarnición** | 40-60 g | 60-100 g | 100-150 g |

## La alimentación
## del niño pequeño

El niño, a partir más o menos del primer año, puede comer perfectamente de todo. Es el momento ideal para empezar a enseñar a comer tanto en variación de alimentos como de texturas y sobre todo hábitos.

Hasta el primer año el pediatra ha dirigido totalmente la alimentación de nuestros hijos y de repente nos encontramos con que, en la mayoría de los casos, nos dice que coma como el resto de la casa y es cuando a nosotros se nos hunde el mundo.

La mayoría de las pautas que hemos dicho para los niños mayores también sirven para los menores, pero recalcaremos algunas:

* Siéntale en su sillita, ponle el babero, el vaso, el plato y el cubierto. Siempre igual, para que asocie los objetos al hábito de comer.

* No le dejes juguetes ni ver la televisión. A la hora de comer, sólo se come, si no estás perdido. Los «vicios» van en aumento. Conozco el caso de un niño que sólo come dentro del ascensor y éste ha de subir y bajar.

* Ofrécele la comida con seguridad. Una vez el pediatra te permita que coma un alimento, que el niño lo rechace es normal, pero tú tienes que ir insistiendo con paciencia.

* Cuanto más tardes en introducirle los alimentos, más te costará. Tienes que hacerte un *timming* y obligarte a introducirle una determinada cantidad de alimentos cada cierto tiempo. Verás que con paciencia y decisión es más fácil de lo que parece.

* Es importante mantener unos horarios ya que crearás un hábito; además, al niño le das seguridad. Estos horarios tampoco han de ser tan rígidos que te hagan esclavo de ellos.

Para introducir un alimento nuevo

a) Es recomendable poner muy poca cantidad junto con la comida preferida y poco a poco ir aumentándola.
b) Para conseguir nuestro objetivo: aprovechar cualquier ocasión

* Si vas al súper y él ve algo que le llama la atención (los paquetes están diseñados para eso), cómpraselo y que lo pruebe.

* Si ves a un niño de su edad comiendo algo nuevo para tu hijo, enséñale y dáselo para que lo pruebe.

* Prueba tú el alimento y luego dáselo, así verá que a ti te gusta.

* Felicítale efusivamente cuando abra la boca, mastique y trague.

* Déjale que lo coja con los dedos. Reconozco que puede poner nervioso, pero es importante.

Tiempo, dedicación, seguridad, determinación e infinita paciencia son imprescindibles para enseñar a comer a tu hijo saludablemente.

## Hábitos saludables y cómo conseguir que los adquieran

Si nos ponemos a pensar, nos damos cuenta de que, a excepción de algunos cambios (voluntarios), comemos casi igual que cuando éramos pequeños. Ello demuestra que los hábitos alimentarios que se forman en la infancia son la base de los que nos acompañarán toda la vida.

Y si somos conscientes de que los hábitos alimentarios sanos nos ayudan a prevenir muchas enfermedades, transmitírselos a nuestros hijos es uno de los mejores legados que podemos dejarles.

¿Cómo conseguir esta difícil tarea? (Porque es realmente difícil y más hoy en día.)

Si partimos de la premisa de que los hábitos los transmitimos los padres, nos tenemos que centrar en qué conductas y reglas paternas vamos a necesitar para conseguir nuestro objetivo.

A continuación las enumeramos y luego las iremos explicando:

* Armarse de infinita paciencia.

* Ser consciente de la importancia y duración de esta tarea: «La guerra no se gana en un día».

* Dar ejemplo: «No se aprende lo que no se ve».

* No forzar ni sobornar a los niños a la hora de comer.

* Procurar que las horas de la comida sean agradables.

* Delegar lo menos posible la alimentación de tu hijo.

* Permitir al niño que planifique contigo la comida que se servirá durante toda la semana.

* Dejarle que participe en la elaboración de la comida.

* No tirar la toalla a la hora de introducir nuevos alimentos.

## Armarse de infinita paciencia

Se ha de reconocer (y no por ello se es peor padre) que dar de comer es una de las tareas infantiles más pesadas. Hay pocas situaciones idílicas en las que el niño come todo, bien y rápido. A los padres que les haya tocado la lotería, ¡felicidades!

Normalmente intentar que coma de todo requiere mucha paciencia; cuando se te acabe, consuélate pensando que a todos nos pasa pero que es una parte muy importante de la educación que debemos dar, tanto como enseñar a lavarse las manos, los dientes, dar las gracias o hacer los deberes.

La educación alimentaria es responsabilidad de los padres; el médico y los profesores pueden ayudar pero nada más.

He conocido chicas de 16 años que no saben qué es una almeja o qué formas tienen pescados tan comunes como la merluza. Esto es culpa de los padres, que nunca se las han dado...

* Algunas veces por desconocimiento.
* Muchas, por pereza a educar el paladar.

## Ser consciente de la importancia y duración de esta tarea

La mala alimentación es un factor de riesgo importantísimo para muchas enfermedades. Cada vez se descubre mayor relación entre la alimentación y la salud. Enfermedades tan difundidas como las displipidemias, diabetes, cáncer, obesidad e hipertensión son, en una gran cantidad de casos, provocadas por una alimentación mal llevada durante años.

Como hemos dicho, si tenemos en cuenta que los hábitos alimentarios los transmitimos los padres, vale la pena dedicar una parte importante de nuestro esfuerzo en este ámbito de la educación.

Un hábito no se crea y no se transforma en un día. Para que nuestros hijos creen hábitos se requiere TIEMPO. Si dedicáramos el mismo tiempo a la educación alimentaria de nuestros hijos que a otros aspectos, seguro que conseguiríamos grandes avances.

Ejemplo: si a un niño le dijeras las mismas veces «come el pescado» que «lávate los dientes», no dudes que tomaría pescado.

## Come todo lo sano que quieres que coma tu hijo. Él te copiará.

## Dar ejemplo

Pretender que un niño haga una cosa cuando nosotros hacemos lo contrario es un fracaso seguro. El niño sólo aprende copiando lo que hacen los mayores. Si no comes fruta, tu hijo tampoco lo hará. Si un niño toma mucho dulce, seguro que el padre o la madre también lo hace.

Hay estudios que demuestran que el ejemplo de los padres es una parte fundamental en la creación de los hábitos de los niños; por lo tanto, trata de comer todo lo sano que quieres que tu hijo coma.

## No forzar ni sobornar a los niños a la hora de comer

No fuerces ni sobornes a tu hijo. Los niños comen cuando tienen hambre y lo dejan cuando están saciados. Somos nosotros los que les ponemos un horario y unas normas.

Se ha de tener en cuenta que si forzamos a menudo al niño, éste perderá su control natural ya que no comerá cuando tenga hambre ni dejará de hacerlo al estar saciado. La primera parte se puede modular con un horario, pero que se acostumbre a comer a pesar de estar saciado, puede provocar posteriores trastornos alimentarios (bulimia, anorexia y obesidad), ya que en el fondo lo acostumbraremos a atracarse.

Por ello tenemos que establecer qué tienen que comer, pero ellos decidirán la cantidad.

Si no hay manera de que tu hijo quiera comer un alimento, no lo fuerces, pero que no coma nada más. Al tener hambre probará la nueva comida y con el tiempo le gustará.

No se debe premiar con una «chuche» si se come las judías, ya que en ese momento le estás enseñando al niño que las «chuches» son buenas y las judías malas.

## Procurar que las horas de la comida sean agradables

Hemos quedado en que educar a un niño a comer sano y bien es una tarea difícil que nos puede producir un gran estrés cuando los niños se ponen a medir tus fuerzas con las suyas. Muchas veces os daréis cuenta de que la comida se convierte en «a ver quién puede más» y la guerra está servida. Hay que resistir y respirar hondo antes de saltar, ya que en ese momento echamos por la borda nuestro trabajo, perdemos la batalla.

Por el contrario, tenemos que conseguir que la hora de comer sea lo más relajada posible, para que el niño también esté más relajado y coma mejor. Conozco una abuela que dice: «Los niños comen cuando no va su orgullo en ello».

Hay que hablar de cosas agradables, poner la mesa bonita, mantener la privacidad de la familia: fuera la televisión y el teléfono. En cambio, poner música suave ayuda a crear un ambiente relajado.

La hora de comer es sólo para comer y socializar. Nada de juguetes, libros, periódicos u ordenadores.

Es un momento que, además de propiciar una buena alimentación, ayuda a tener una mejor relación familiar; por ello es importante no permitir peleas a la hora de comer, sólo temas positivos.

Si no es posible comer juntos, por el horario, hay que intentarlo con el desayuno. El fin de semana es un buen momento para tener más comidas juntos.

En la mesa todo ha de ser agradable: una mesa bien puesta, una comida bien presentada y una conversación amena.

## Delegar lo menos posible la alimentación de tu hijo

Si no puedes (como muchos) estar en casa a la hora de comer o cenar con tu hijo, debes organizarte para que se note lo menos posible y su educación alimentaria no se vea afectada. Tienes que tener un menú para

cada día, o mejor, que lo hagas semanal o quincenalmente, comprobando previamente el del colegio. Además debes:

* Explicar a quien lo cuide que tiene que preparar lo que pone en el menú, no lo que le pida el niño.

* Comprobar que el niño come el menú.

* Controlar que el niño come la cantidad que crees que está comiendo.

Estas normas sirven tanto si el cuidador es ajeno como si es de la familia, porque a veces no le ven la necesidad y es más fácil dar al niño lo que come bien. Si es un familiar porque el niño llega a convencerle: «pobrecillo», suelen decir.

No estará de más intentar una visita sorpresa de vez en cuando y, si no puedes, siempre hay un amigo a mano.

## Permitir al niño que planifique contigo la comida de la semana

Cuando le preguntas al niño qué quiere comer, siempre contesta su plato preferido, pero si le haces contestar para toda la semana, tiene que empezar a estrujarse el cerebro, ya que no se suele repetir siete veces seguidas el mismo plato.

Al otorgarle una parte de responsabilidad, él se ve más útil y mayor. Entonces es un buen momento para negociar: «Hay macarrones de primero, pero de segundo hay pescado».

Cuando llega el día que toca pescado, el niño se acuerda de que él mismo lo aprobó y suele comérselo. Pero recuerda, no puedes eliminar algo que él pidió, o perderás la autoridad.

## Dejar al niño que participe en la elaboración de la comida

A los niños les encanta cocinar y se sienten importantes cuando lo hacen; además, si ellos cocinan tendrán mucho más interés en probar la comida y comérsela, aunque sólo sea por orgullo. Si gestionas bien la ayuda acaba sacándote trabajo. Al principio parece espantoso, pero cada vez lo hacen mejor. Eso sí, la norma fundamental es «lo que se ensucia, se limpia», es decir, al niño hay que dejarle bien claro que cocinar también incluye recoger y limpiar.

Mientras cocináis, aprovecha para enseñarle conocimientos sobre los alimentos y libros de recetas de otros países. En la página 55 tienes una guía con todo lo que pueden hacer los niños en la cocina.

## No tirar la toalla a la hora de introducir nuevos alimentos

La variedad de alimentos es imprescindible para conseguir una dieta saludable. Enseñar a los niños a comer de todo es darles herramientas para saber comer sano toda su vida. Educar a comer de todo es entrar en una carrera contrarreloj, ya que cuanto antes introduzcas los alimentos (siempre guiado por el pediatra), menos posibilidades habrá de que los rechace. Un adulto que come variado ingiere unos doscientos alimentos diferentes. Si tenemos en cuenta que cuando nacemos sólo tomamos UNO, nuestra obligación como padres es irles introduciendo alimentos, siempre bajo la supervisión del médico.

Entre aproximadamente los 18 y los 24 meses, un niño ya puede comer de todo, por lo que sería bueno hacerse un calendario para ir dándole alimentos nuevos.

Hay que tener en cuenta que muchas veces somos los padres los que hacemos de filtro, nosotros decidimos lo que les puede gustar a nuestros hijos en función de nuestros parámetros, bien porque nos parecen pequeños o bien porque a nosotros mismos no nos gusta ese alimento, pero en numerosas ocasiones pasa que a los niños SÍ les gusta. NO HAY que poner límites.

Conviene variar mucho con lo que les gusta. Por ejemplo: dar mucha pasta diferente, un día macarrones, otro día tallarines, etc.

Cualquier excusa y situación ha de serviros para introducirle nuevos alimentos, pero recordad que no es lo habitual que le guste a la primera. El supermercado es también un buen sitio para dejarles elegir algo que sea nuevo.

## Por último podríamos decir que los padres deben tener presente que:

* Los padres no nacen enseñados: tener errores es natural, lo importante es sacar algo positivo.

* Si ves que no sabes cómo inculcarle buenos hábitos, no inventes, consulta a un profesional para que no tengas que decir: «Lo he probado todo y no he conseguido nada».

* Los padres tenemos que dominar la situación y no podemos mostrarnos inseguros o dubitativos.

* La mayoría de los problemas alimentarios de los niños sanos suele ser una forma de tomar el pelo a los padres, reconocerlo nos permitirá empezar a trabajar para modificar sus hábitos.

* No obsesionarse. No hay niños que se mueran de hambre teniendo comida cerca.

* Si el niño no quiere el alimento que tú le das, no le obligues pero tampoco le des otro. El hambre le hará ceder.

* Los niños sanos pueden comer de todo.

* Un hábito es una conducta que se aprende a fuerza de repetición.

* Apláudele cada vez que coma un nuevo alimento, pero no hagas caso cuando lo rechace. Lo mejor en ese caso es retirarle el plato y no darle nada más de comer.

# ¿QUÉ PUEDE HACER UN NIÑO EN LA COCINA?

**Sobre los 2 años**

* Verter los ingredientes ya medidos.
* Ayudar a remover sujetándoles el utensilio.
* Ayudar a decorar.
* Pasar cucharas, utensilios.

**De 3 a 4 años**

* Ayudar a pesar.
* Mezclar los ingredientes.
* Ayudar a verter alimentos de un cuenco a otro.
* Dar formas a masas (galletas, por ejemplo).

**De 5 a 6 años**

* Aprender a leer una receta.
* Cascar los huevos y separar la yema de la clara.
* Ir aprendiendo a usar el *Minipimer.*
* Poner los alimentos en el microondas: no sacarlos, porque el recipiente puede quemar.
* Aprender a medir y pesar los alimentos.

**De 7 a 8 años**

* Colocar comida en la fuente.
* Seguir la mayor parte de una receta, menos utilizar el horno y la sartén.

**A partir de los 9 años**

* Cocinar una receta completa.

Al introducir alimentos nuevos lo normal es que tengamos que insistir varias veces, no tiremos la toalla. ✎

## Los 10 mejores y los 10 peores hábitos de la alimentación infantil

## Los 10 mejores hábitos

Unos buenos hábitos nos ayudan a conseguir una alimentación saludable.

1. Realizar un desayuno completo y equilibrado en casa es básico para:

* Tener energía para poder rendir en el colegio.

* Tomar una parte importante de las necesidades de lácteos y vitaminas.

* Prevenir la obesidad infantil.

### Ejemplo de desayuno

**Cereales con leche o yogur y un kiwi.**
(Ir cambiando de cereales, en el mercado hay miles.) También es bueno variar la fruta.

**Papilla con leche + zumo natural de naranja.**
(Puede alargarse el tiempo de consumo más allá de los dos años, ya que es una manera sana de empezar el día.)

**Tostadas con...**
* mermelada y mantequilla.
* tomate y aceite + embutido o queso.
* aceite y azúcar o sal.

**+ leche o yogur o cuajada o kéfir + fruta o zumo natural.**

2. Tener siempre un cesto de fruta en un sitio principal de la cocina y fomentar que la familia vaya cogiendo piezas durante el día.

3. No tener en la cocina alimentos que no quieras que tu familia consuma.

4. Tener en la nevera zanahorias, pimientos y otras hortalizas limpias y preparadas (por ejemplo, en bastoncitos) y ofrecerlas muchas veces para que los pequeños (y no tan pequeños) se acostumbren a picar dichos alimentos.

5. Tener siempre a la vista frutos secos.

6. Racionar la cantidad de aceite, azúcar y sal que se consume a la semana.

7. En una caja poner frutas secas (orejones, pasas, higos) y ofrecerlos a menudo en vez de las chuches. Mis hijos los llaman «las chuches de la cocina». Si vamos a tiendas especializadas veremos que hay muchísimas clases. Estas frutas, al estar secas, tienen un contenido riquísimo en vitaminas y fibra y sin embargo sólo tienen el azúcar natural de la fruta.

8. Hacer que el niño valore el agua como bebida. No dar en el día a día para comer ni cenar otras bebidas. Explícales que es el agua lo que les ayuda a jugar, estudiar, a crecer, no los refrescos.

9. Aprovechar los acompañamientos para introducir las hortalizas en la alimentación del niño. En vez de darle siempre patatas fritas o alimentos rebozados, ir introduciendo vegetales. Así conseguirás que incremente bastante su consumo. Por ejemplo:

* Zanahorias y calabacín rallados y crudos.

* Ensaladas con productos que les gusten como pipas peladas, tomates cherry...

* *Falafels,* que son croquetas con legumbres y verduras.

10. Explicarles siempre por qué les das un alimento en vez de otro. Haz que se sientan especiales porque sus papás les están enseñando unos hábitos que son mejores y a los otros niños no. Dales a entender que es un esfuerzo que tú haces por su bien, pero que no todos los padres (desgraciadamente) están dispuestos hacer, por lo tanto, los niños que ellos conocen sólo van a saber comer espaguetis con tomate, carne rebozada y patatas fritas. Es decir, para conseguir el objetivo: marketing.

## Los 10 peores hábitos

1. Desayunar fuera de casa. Los niños han de desayunar en casa «te cueste el tiempo que te cueste» y han de tomar un alimento lácteo, un cereal y una fruta.

2. Llevar cada día al colegio de desayuno o merienda bollería industrial y zumo artificial. La primera es rica en grasas saturadas (dañinas en exceso) y azúcar y el segundo son «chuches líquidas», pocos se salvan. El incremento del consumo de estos dos productos va paralelo al aumento de la obesidad infantil. Ambas cosas se han disparado en España.

3. Dejar para mañana la educación alimentaria, «total por hoy no pasa nada». Como la mayoría de los niños comen y a simple vista tanto les sienta bien un alimento como otro, empezar la lucha para que se coman lo que no les gusta da realmente pereza, por lo que tendemos a aplazarlo y, cuando lo hacemos, pretendemos en un día avanzar lo que no hemos conseguido en meses o años. Al no ser posible nos damos por vencidos y decidimos que si al pobre niño no le gusta ese alimento hay que respetarlo. Así, la lista de los alimentos «no deseados» es más larga que la de los deseados.

4. No variar en los grupos de alimentos (lo hemos visto antes) ni dentro de ellos. Ejemplo: hay que tomar fruta, pero dentro de ella hay que variar, no se puede pasar la infancia sólo tomando plátano y mandarina porque si no es lo único que nuestro hijo tomará cuando sea adulto.

5. Hacer comidas con la freidora, ya que esto conlleva en la mayoría de los casos una alimentación con exceso de grasa saturada y aceite oxidado. Si se tiene freidora, se compran alimentos que requieran de ésta y sean casi siempre rebozados (libritos, hortalizas rebozadas, croquetas, aros de cebolla, barritas de pescado) que, junto con las patatas fritas, se convierten en casi los únicos acompañamientos que toman los niños.

6. Dejar comer «algo» a los niños antes de que coman o cenen. Para los niños poco comilones o para los que no les gusta la comida, les quitará el hambre. En el primer caso, va en contra de su buena nutrición y en el segundo, va en contra de educarles ya que el hambre es nuestro aliado para que cedan al comer.

7. Comer o cenar delante de la televisión u ordenador. La hora de la comida ha de ser un momento de concentración, donde los niños tienen que ser conscientes de qué están haciendo y por qué.

El bebé al nacer sólo toma un alimento, pero en pocos años debe comer de todo. Es tarea de los padres conseguirlo. Se trata de una carrera contrarreloj y se logra a base de inculcar hábitos saludables. ✐

8. Prohibir alimentos a los niños. Hoy en día hay una corriente que prohíbe a los niños comer alimentos «no sanos». Es una decisión peligrosa, «es mejor y más efectivo educar que prohibir».
No hay alimentos buenos ni malos sino que lo importante es «cuánto, cómo, con qué y cuándo los tomamos». Prohibiendo a un niño tomar patatas fritas o ir a los restaurantes de comida rápida, sólo conseguiremos el efecto contrario. Hay que moderárselos y sobre todo introducir nuevos alimentos enseñando que los valore. Una forma de introducirlos puede ser llevarlos a restaurantes de otros países para que vean la variedad que hay en el mundo y,

según se les cuente, puede ser parte de una aventura.

9. De entrada predisponer al niño diciéndole que unos alimentos son peores que otros. Hay que darles de comer lo que se sirve en la mesa. Si es lo que les gusta, bien, si no, lo tendrán que comer igual. Mi hijo me dice: «En el cole lo que toca, toca».

10. Decidir de antemano qué le gustará al niño y qué no, antes de dárselo a probar. Sirva este ejemplo: un hijo mío probó la lechuga cuando tenía un año en un picapica sin que nadie le dijese nada. Hay gente que hace pasta y, pensando que a los niños no les gustará con salsa, la aparta.

## La obesidad infantil

La obesidad infantil, tanto en España como en el resto de Europa, se ha duplicado en los últimos 15 años, llegándose a un 13,9% de obesidad y un 30% de sobrepeso. Además de estas preocupantes cifras, está el problema de que esta tendencia va en aumento (recordemos que un niño con obesidad es casi seguro que será un obeso toda su vida).

Es importante que sea el pediatra el que diagnostique la obesidad o el sobrepeso. No debemos poner a ningún niño a dieta sin el seguimiento de este profesional.

La obesidad suele tener varias causas y en un porcentaje muy elevado NO se hereda, sino que se crea. El niño obeso tiene muchísimas probabilidades de ser obeso siempre. Si conseguimos que nuestros hijos lleven una alimentación equilibrada no tendrán ni sobrepeso ni obesidad. Para ello hay que ser firmes; no nos puede dar pena que nos pida más y no se lo demos, o que nos pida lo que sabemos que no hay que comer.

Si tienes un niño con sobrepeso sigue los consejos del pediatra y sé fuerte recordando que es lo mejor que puedes hacer por tu hijo.

Hay una serie de factores que favorecen la obesidad:

* Ingesta elevada de bollería, zumos artificiales o refrescos.

* Alto consumo de chuches, aperitivos...

* Estar sentados más de 3 horas frente a la televisión, el ordenador o la consola.

* No hacer deporte.

## ¿Cómo podemos prevenir la obesidad?

Para prevenirla son imprescindibles dos aspectos:

* Llevar una alimentación equilibrada.

* Realizar actividad física.

Hay una serie de hábitos y pautas básicas para una dieta saludable que nos sirven obviamente a fin de evitar la obesidad. Por otra parte, conviene recalcar que la actividad física es un factor determinante para lograr este propósito.

Pautas para evitar la obesidad:

* Comer cada día fruta y algún vegetal.

* Beber agua y zumos naturales en vez de refrescos y zumos artificiales.

* Evitar la bollería industrial en el desayuno y la merienda.

* Dar a los niños para llevar al cole lo que nos daban a nosotros: bocadillos y, para beber, agua.

* Comer 5 veces al día, no continuamente. En ocasiones para que se calle le vamos comprando patatas fritas, chuches... todo esto son «CALORÍAS HUECAS», es decir, engordan pero no nutren.

* El niño no debe tener al alcance todo lo que hay en la casa. Ha de saber que no puede comer cuando quiere lo que se le antoje.

* Saltarse el desayuno es un factor de riesgo en la aparición de la obesidad.

* La mayoría de los zumos artificiales son chuches líquidas (por eso les gustan tanto).

## Calorías y vitaminas de los acompañamientos

* Se ha de comer y cenar con agua.

* Hay que comer bien cada día.

* Dar a los niños *snacks* sanos:
  no los compres, hazlos.

* Darles comidas cocinadas en casa.

* Incitarles a que hagan actividad física.
  Procurar ir al cole andando.

* Tener 60 minutos activos al día.

* No ser esclavos de la tele.

* Limitar el uso de los aparatos electrónicos.

* Pactar qué deporte quiere practicar.

* Vigilar los acompañamientos y *snacks*.

En la tabla que se ofrece a continuación se muestran las diferencias calóricas y vitamínicas entre un acompañamiento de patatas fritas o rebozados y los acompañamientos con cereales crudos.

# Es muy importante comer y cenar con agua.

| Patatas fritas (300 g) | |
|---|---|
| Kcal | 867,98 |
| Grasas | 51,38 g |
| Fibra | 9 g |
| Vitamina A | 0 mcg |
| Vitamina C | 36 mg |
| Vitamina E | 2,10 mg |

| Verduras (zanahoria, 1/2 calabacín y tomates) | |
|---|---|
| Kcal | 91,14 g |
| Grasas | 0,74 g |
| Fibra | 5,78 g |
| Vitamina A | 1.131,66 mcg |
| Vitamina C | 77,86 mg |
| Vitamina E | 2,57 mg |

| Calabacín o berenjena rebozados 200 g | |
|---|---|
| Kcal | 566,9 g |
| Grasas | 50,71 g |
| Fibra | 6,70 g |
| Vitamina A | 22,33 mcg |
| Vitamina C | 9,80 mg |
| Vitamina E | 6,14 mg |

| Ensalada variada * | |
|---|---|
| Kcal | 267,86 g |
| Grasas | 15,05 g |
| Fibra | 5,34 g |
| Vitamina A | 1.136,89 mcg |
| Vitamina C | 38,90 mg |
| Vitamina E | 5,20 mg |

* Contiene: zanahoria, tomate, lechuga, maíz, pepino, atún, aceite de oliva y vinagre.

| Diferencias calóricas de algunos acompañamientos |
| --- |
| 200 g de patatas hervidas = 170 calorías |
| 200 g de patatas hervidas + 20 cl de aceite = 350 calorías |
| 200 g de patatas fritas = 500-600 calorías |

## Alergias e intolerancias alimentarias

### Intolerancia a la lactosa y alergia a la proteína de la leche

En un principio pueden parecer lo mismo, ya que los síntomas pueden confundirse y las pautas dietéticas son parecidas.

* La intolerancia a la lactosa consiste en que el niño no puede digerir la lactosa (el azúcar) de la leche.

* La alergia a la proteína se manifiesta con hipersensibilidad a la proteína de la leche.

Es importante concienciar al niño sobre su trastorno alimentario, ya que a medida que crezca él será su único control, el único responsable.

### Alergia a la proteína de la leche

Cuando un organismo no es capaz de asimilar una sustancia y activa sus defensas para protegerse de que ésta no ataque a alguno de sus órganos, quiere decir que es alérgico. Estas sustancias son casi siempre proteínas y una de las más comunes entre los niños es la alergia a la proteína de la leche.

## Hay que saber que:

* La alergia se puede desencadenar sin tener en cuenta la cantidad ingerida. Una mínima parte de leche en un alimento es suficiente, por lo que es imprescindible leer bien las etiquetas.

* Si se es alérgico a la proteína de la leche, se es alérgico a la leche de vaca, de cabra, de oveja...

* Los síntomas pueden manifestarse tanto en unos minutos, como en horas o días.

* El único tratamiento es eliminar la leche y todos sus derivados.

## Intolerancia a la lactosa

La intolerancia no es un problema inmunitario, sino digestivo: simple y llanamente no se puede digerir la lactosa, que es un azúcar presente en todos los lácteos de los mamíferos. Se digiere en el intestino y para ello se necesita una enzima que se llama *lactasa*. Si el niño no tiene o tiene niveles muy bajos de lactasa, no podrá digerir la lactosa.

Los síntomas pueden ser: dolores, espasmos, hinchazón abdominal, flatulencias, diarreas bastante líquidas e incluso vómitos.

Hay casos en que con cualquier producto derivado de la lactosa (excepto el yogur) enseguida se tienen los síntomas. Hay casos menos graves: los intolerantes a la lactosa incluso se pueden pasar años sin molestias intestinales sin saber que la padecen; nos podemos encontrar niños muy estreñidos que son intolerantes, incluso hay niños con problemas en la piel, debido a esta intolerancia.

La intolerancia a la lactosa en pocos casos es heredada, en la mayoría se debe a otras causas:

* Intolerancia al gluten.

* Intolerancia a la proteína de la leche o de la soja.

* Malnutrición.

* Toma de ciertos antibióticos.

* Problemas intestinales producidos por virus, bacterias o parásitos.

Se debe tener en cuenta que hay razas que sufren más de intolerancia a la lactosa que otras:

| | |
|---|---|
| Raza europea: | aprox. 1-6% |
| Raza asiática: | aprox. 80% |
| Raza negra: | aprox. 90% |
| Raza afroamericana: | aprox. 70% |
| Indios americanos: | aprox. 80% |

El único tratamiento es no tomar alimentos que contengan lactosa, es decir, los lácteos y todos sus derivados. A excepción del yogur, en el que la lactosa ya está predigerida (algunas personas tampoco lo toleran).

## Si tienes intolerancia a la lactosa...

### No puedes tomar

Leche

Batidos de leche

Queso

Crema de leche

Natillas, flanes

Arroz con leche

Helados

Salsa bechamel

Croquetas

### Se puede encontrar lactosa en

Panes de molde y tostadas

Papillas infantiles

Productos de pastelería: bollos, barquillos, pasteles, tartas, buñuelos, púdines.

Galletas

Cereales del desayuno

Chocolate con leche

Salchichas frankfurt

Fiambres

Hamburguesas comercializadas

Carnes preparadas

Mantequillas y margarinas

Sopas y cremas preparadas

Puré de patatas

Es muy importante aprender a leer bien las etiquetas, ya que muchos productos contienen leche.

Al no tomar leche, el niño tiene que sustituirla por otros alimentos ricos en calcio (véase tabla de calcio); hay que tener en cuenta que hoy en día la industria alimentaria pone a nuestro alcance productos sin lactosa que se pueden tomar.

## Pautas si tu hijo es intolerante o alérgico:

* Para cocinar, sustituye la leche de vaca por leche de soja o avena.

* Explícale a tu hijo (a medida que vaya entendiendo) y a quienes le rodean (hermanos, abuelos, amigos, canguros) qué puede y qué no puede comer. Haz una lista bien clara y ponla en la puerta de la nevera.

* Procura no dejar al alcance del niño (sobre todo si es pequeño) un alimento «prohibido».

* Explica en el colegio (sobre todo a la profesora) que tu hijo es alérgico y explícale bien qué debe hacer. Asegúrate de que lo entiende y que lo transmitirá a los otros niños en la clase y al resto de cuidadores que habrán de supervisarlo especialmente en el recreo y en el comedor.

* Cerciórate, por medio de la profesora,
  de que el niño no intercambia bocadillos
  en el cole.

* Dale algunas galletas y chocolates permitidos
  a la profesora del niño para que, si hay
  fiestas de cumpleaños, tu hijo pueda comer.

## Otras posibles alergias alimentarias:

Las alergias alimentarias suelen ser más
frecuentes en la infancia, muchas de ellas
desaparecen después. La causa más común
que las provoca es el consumo de proteínas.

### INTOLERANCIA AL GLUTEN

La intolerancia la causa la parte proteica del
trigo (gluten) y de otros cereales como el centeno, la avena y la cebada.

Su ingesta provoca síntomas como diarrea,
falta de crecimiento y lesiones intestinales.
Su único tratamiento es no ingerir gluten.
Hoy en día hay muchos productos que no
contienen gluten.

Es básico estar en contacto con las asociaciones de celíacos (que editan un listado de

qué alimentos contienen gluten y cuáles no). También se puede consultar en internet. Sólo hay que fiarse de las listas de las asociaciones.

### ALERGIA AL HUEVO

Los huevos son un alimento que puede ocasionar alergias infantiles. Da igual cómo esté preparado (crudo, cocido, frito), aunque es peor crudo que cocido.

Éste se encuentra en muchos preparados industriales (mayonesa, pasteles, helados, galletas, pasta).

### ALERGIA AL PESCADO

El pescado y en especial el marisco tienen proteínas que pueden causar alergias muy graves. Incluso el mero contacto con alguien que los haya tocado puede ocasionar alergia.

Es importante mantener los alimentos que ocasionen la alergia alejados de todo aquello que pueda estar en contacto con el niño (cucharas, platos, tablas de cortar...).

También podemos encontrar casos de alergia provocados por algún tipo de vegetal (tomate, apio, espárragos, espinacas) y fruta. Los frutos secos y especias tienen capacidad alergénica, pero provocan alergias menos frecuentemente. En cualquier caso, el niño tiene que ser controlado por su pediatra.

## Cómo comprar y qué comprar

Para tener una alimentación saludable es importantísimo hacer una compra «saludable».

Proveer la despensa de alimentos sanos contribuirá a que en casa se coma sano. Para conseguirlo daremos unos consejos prácticos:

* Planificar los menús. Así se sabe lo que hay que comprar y se evitarán compras compulsivas y comer *fast food* (comida rápida).

* Hacer una lista e ir añadiendo a medida que vayas gastando.

* Comprar sólo lo que hay en la lista.

* No ir a comprar con hambre, porque se adquieren más alimentos precocinados.

* Comprar gran variedad de productos, donde haya verduras y frutas.

* Confeccionar los menús teniendo en cuenta a cada miembro de la familia.

* No comprar lo que no quieres que coman.

## Aprende a leer las etiquetas de los alimentos

Las etiquetas de los alimentos envasados aportan una información muy útil que se debe saber interpretar. Cuando se hace la compra, siempre se deben leer las etiquetas de los alimentos para aprender a elegir los más saludables y adecuados según las características personales y necesidades individuales. La información que indica la etiqueta es el compromiso del fabricante ante el consumidor de que el producto cumple con la normativa vigente.

La etiqueta de los alimentos envasados da información útil que incluye los siguientes datos:

* Si el alimento admite almacenamiento o no después de abierto el envase o si puede conservarse o no dentro de éste.

* El uso y modo de empleo.

* La identificación del lote, fecha de fabricación y fecha de caducidad, de modo legible.

* Los ingredientes: se escriben por orden de cantidades de mayor a menor contenido. Es decir, que si el primer ingrediente es el azúcar, éste es el ingrediente del que más cantidad han puesto, no es que esté por orden alfabético.

* El tamaño de la ración o peso del contenido. A veces el cálculo nutricional también se hace por ración, en este caso se indica qué ración han elegido.

Según el producto de que se trate, se indica:

* Cantidad de energía que aportan 100 gramos o 100 mililitros del producto expresada en kilocalorías o kilojulios.

* Contenido de proteínas, grasas e hidratos de carbono por 100 gramos o 100 mililitros expresados en gramos o porcentaje.

* Contenido de vitaminas y minerales, expresados en microgramos, miligramos o gramos por 100 gramos o 100 mililitros del alimento (esto no siempre está expresado en todos los productos).

En algunas etiquetas aparece también el grado de satisfacción de las Recomendaciones Dietéticas Diarias (RDD). Normalmente aparece en forma de porcentaje de las necesidades diarias. Esta aclaración es válida también en envases de preparados vitamínicos y de minerales.

La etiqueta también deberá indicar si el producto está enriquecido, señalando el nutriente que confiere esta característica al alimento con relación al producto ordinario comparable.

Deberá indicar si el alimento es para niños lactantes, ancianos o si es para regímenes especiales; por ejemplo, para diabéticos u otros.

Próximamente saldrá la nueva reglamentación de la UE sobre alimentos: en ella está regulada no sólo la composición, sino también el etiquetado y la publicidad.

## Higiene y seguridad en los alimentos

España cuenta con una legislación sanitaria que protege al consumidor de las manipulaciones incorrectas desde el momento que el alimento se produce hasta que llega al mercado. Una vez comprado, la responsabilidad es del consumidor. Por ello, la OMS ha establecido unas reglas de oro para la preparación de alimentos sanos:

* Escoger aquellos alimentos cuyo tratamiento previo garantice que son seguros.

* Cocer bien los alimentos.

* Consumir los alimentos inmediatamente después de su preparación.

* Conservar adecuadamente los alimentos cocidos si no se procede a su consumo inmediato.

* Evitar cualquier contacto entre los alimentos crudos y los cocidos.

* Lavarse las manos con la frecuencia necesaria.

* Vigilar que la limpieza de la cocina sea la máxima posible.

* Proteger los alimentos de insectos, roedores y otros animales.

* Utilizar agua potable.

Hay que recordar que la higiene es imprescindible para una buena nutrición: de poco sirve una dieta saludable si con los alimentos introducimos en el organismo gérmenes capaces de intoxicarlo.

## Trucos para que coman de todo

### Para conseguir que tu hijo coma más verduras...

* ¡Salsas!
A los niños les gustan mucho las salsas, el ketchup es su favorita. Pruébalo con queso fresco, mayonesa, salsa casera de tomate...

* Escóndelas...
Las verduras ralladas se pueden cocinar con todo, pescado, carne, etc. Con pasta italiana, se puede

añadir con facilidad gran cantidad de verduras. Si tu hijo es muy maniático con los colores usa puerros, calabacín pelado, apio. Todas las verduras que son blancas pasan inadvertidas.

Hacer tortillas de verduras es un truco que casi nunca falla.

* Dáselas crudas:
  Las verduras crudas son muy saludables y muchas veces les gustan más que cocinadas. Prueba con zanahorias, pimientos rojos, espinacas, lechuga, tomates...

Los padres deben dar ejemplo en la higiene. Es fundamental enseñar al niño su importancia para evitar enfermedades. ✎

* Redúcelas a puré:
  Es una solución, en muchos casos, práctica y saludable.

* Hazlas divertidas:
  Si se presentan de una forma divertida, pueden llegar a convertirse en un juego. Que el niño haga pinchos es una buena solución. Otra idea es servirlas en recipientes vegetales, media calabaza, un pimiento abierto, etc.

* Fríelas:
  Mejor fritas que nada, pero sin utilizar freidora: hazlas en la sartén y desechando cada vez el aceite. Berenjenas, alcachofas, champiñones, siempre antes que patatas fritas.

* Bebidas:
  Quizá les guste el zumo de tomate o el de zanahoria.

* Añádeles sus ingredientes favoritos:
  Si tu hijo es un gran quesero, añádeselo siempre que puedas: en la ensalada, rallado en las sopas, gratinado por encima, etc.

* Fíjate en las verduras que les dan en el comedor del colegio y cómo se las dan: es decir, si les dan las judías verdes con patata chafada, dáselas igual. No permitas que en casa no se las coman, está claro que te toman el pelo.

* Dáselas con seguridad.

* Nunca se las apartes de los arroces, pastas, etc. Se tienen que acostumbrar a los «tropezones».

## Para conseguir que tu hijo coma más fruta...

* Llévala a la mesa preparada:
  Es raro que sobre fruta cuando está pelada y preparada. Un gran plato de fruta es muy apetitoso. No añadas azúcar.

* Haz una buena compra:
  Compra fruta variada y apetitosa. En la mayoría de los mercados traen la compra a casa y se puede hacer el pedido incluso por teléfono.

* Da ejemplo:
  Existe en muchas casas la costumbre de no tomar postre. Nunca os levantéis de la mesa sin tomar fruta. Un niño hace lo que ve en casa.

* Haz mezclas:
  Se puede mezclar sin ningún problema fruta enlatada con fruta fresca, es una solución para los niños más golosos. En las ensaladas de pasta añade manzana, pasas o cualquier otra fruta.

* Fruta seca:
  La fruta seca es también una solución válida de vez en cuando, siempre que no esté escarchada o con chocolate. Orejones, dátiles, pasas... son muy saludables y pueden servir a modo de «chuches».

* Zumos:
  Si tu hijo es difícil de convencer a la hora de la fruta, dale cada día un zumo de naranja. No es trabajoso si se tiene un exprimidor eléctrico. No sirven los zumos comerciales: tienen gran cantidad de azúcar y ninguna vitamina.

* Pasteles:
  Pon fruta fresca en los pasteles, tanto dentro como en la cobertura: arándanos, plátanos, etc.

* Dásela de merienda: que lleven fruta al cole.

* Puedes mezclarla con cremas dulces:
  Por ejemplo, pon en una copa 3 o 4 cucharadas de natillas y encima trozos de fruta.

73

* Crea una competición entre hermanos:
  Si uno se come una manzana, «pícales»,
  a ver si consigues que el otro también
  lo haga.

* Convénceles de las diferencias
  de sabor entre frutas: puede ser que no les
  guste una mandarina pero sí un plátano.

## Para conseguir que tu hijo coma más pescado...

* Cómpralo de buena calidad:
  Los niños son niños pero no tontos,
  notan la diferencia.

* Por sorprendente que parezca,
  no lo cuezas mucho, queda seco, astilloso
  y «sabe más a pescado».

* Rebózalo.

* No le añadas muchas «salsitas»,
  les agobia.

* Mézclalo con los ingredientes
  que les gusten: jamón, queso...

* Procura cocinarlo limpio,
  es decir, sin espinas.
  Aprovecha los conocimientos
  del pescadero y que te lo prepare todo
  a filetes: dorada, lenguado, merluza,
  caballa... Todo se puede dejar preparado
  en dos filetes.

* Haz hamburguesas
  y albóndigas de pescado.

* Conviérteselo en sopa.

* Prepáralo solo, añadiendo
  simplemente un poco de caldo.

* Añádele arroz o pasta de sopa.

* En todos los colegios se lo dan un mínimo
  de una vez a la semana; averígualo y no
  dejes que se lo coman en el cole sí y en
  casa no.

## La pirámide de los alimentos de NAOS

En conclusión, es importante que la dieta de los niños contenga todos los grupos de alimentos pero de una forma equilibrada. Si además se practica ejercicio y se evita la vida sedentaria, los pequeños pueden lograr estar sanos y saludables.

# RECETAS

Deliciosas recetas para preparar aperitivos,
primeros platos, segundos y postres.
A los niños les encantarán y a los mayores les sorprenderán.
Fáciles, rápidas y muy saludables.

# APERITIVOS

Recetas para preparar deliciosos picapica en raciones individuales.
Pensados para que los niños los cojan con las manos
o con la ayuda de palitos de pan.

# Croquetas exprés

**Ingredientes**

1 huevo

4 lonchas de jamón york

4 rebanadas de pan de molde

4 lonchas de queso

4 cucharadas de queso fresco para untar

2 tomates

2 zanahorias

1 taza de leche

125 g de pan rallado

## Preparación

1) Cortar el tomate a dados y rallar la zanahoria. Mezclarlo y aliñarlo con un poco de aceite y sal. Reservar.

2) Remojar las rebanadas con un poco de leche.

3) Untar el pan con el queso para untar, y añadir una loncha de jamón y otra de queso. Colocarlo sobre papel de aluminio de modo que el pan sobresalga un poco del borde. Formar un cilindro con la ayuda del papel de aluminio.

4) Retirar el papel, acabar de enrollarlo y rebozar con el huevo batido y el pan rallado.

5) Freír las croquetas en aceite hirviendo y servirlas con la mezcla de tomate y zanahoria.

## Trucos

Si quieres hacer las croquetas más pequeñas, corta el pan una vez ya relleno y enróllalo en tres partes.

Al hacer las croquetas se pueden variar los rellenos a gusto (sobrasada y queso, jamón solo, beicon...). Seguro que las devorarán.

### VALORACIÓN NUTRICIONAL

(1 COMENSAL)

**Energía:** 530,78 kcal

**Proteínas totales:** 29,48 g

**Lípidos totales:** 26,82 g

(Ácidos grasos saturados: 14,02 g)

**Glúcidos:** 42,88 g

arta para celíacos  ovolacteo-vegetariano

# *Dips* de queso fresco

**Ingredientes**

2-3 cucharadas de aceite
de oliva

1/2 apio

1/2 manojo de perejil picado

1 pimiento rojo

1 diente de ajo

1 zanahoria

500 g de queso fresco

2 cucharadas de queso
parmesano rallado

## Preparación

1) Mezclar bien todos los ingredientes
   (excepto el pimiento, el apio y la zanahoria)
   en una picadora o en el *Minipimer*
   hasta obtener una pasta homogénea;
   dejar reposar tapado en la nevera unas
   dos horas.

2) Cortar las hortalizas en tiras y ponerlas alrededor
   del cuenco donde estará la pasta.

3) Para comer, untar las hortalizas con un poco
   de la crema. También podemos servirlo
   con palitos de pan.

## Trucos

Si tienes *Thermomix* programa 2 o 3 minutos
a velocidad 5-7-9 hasta obtener
una pasta de queso fina.

## ¿SABÍAS QUE...?

El parmesano es el queso con mayor cantidad de calcio (1.275 mg de calcio por 100 g de producto). El queso fresco también lo contiene aunque en menor cantidad, ya que cuanto más curado sea el queso mayor cantidad de calcio tendrá, y proporcionalmente mayor será la cantidad de grasa.

### VALORACIÓN NUTRICIONAL

(1 COMENSAL)

**Energía:** 241,04 kcal

**Proteínas totales:** 12,53 g

**Lípidos totales:** 18,79 g

(Ácidos grasos saturados: 9,23 g)

**Glúcidos:** 5,47 g

# Flores de jamón serrano

**Ingredientes para hacer 12 flores**

12 tiras de cebollino

12 tiras de jamón serrano

12 palitos de pan

## Preparación

1) Escoger palitos de 5 centímetros de largo. Envolver los palitos con una loncha de jamón en la parte superior imitando la forma de una flor. Atarlos con cebollino.

2) Colocarlos en una fuente redonda y servir.

## Trucos

Hay que darles productos integrales a los niños. Si lo haces, con seguridad no dirán ni pío. Los palitos integrales de la marca Kellys son una buena opción. Puedes hacer lo mismo con jamón york, mortadela, etc. Para que queden bien sujetos compra los cebollinos largos.

### ¿SABÍAS QUE...?

El jamón serrano es el más aconsejable porque tiene un menor contenido de grasa saturada, fuente importante de minerales como el fósforo, magnesio, hierro, potasio y cinc, y vitaminas como la niacina, folacina y la vitamina B12. Su sabor es insuperable y su aportación energética, escasa (170 Kcal por 100 g de producto).

### VALORACIÓN NUTRICIONAL

(1 COMENSAL)

Energía: 329,38 kcal

Proteínas totales: 23,52 g

Lípidos totales: 16,87 g

(Ácidos grasos saturados: 5,79 g)

Glúcidos: 20,88 g

# Piruletas de parmesano

**5**

Ingredientes

100 g de palitos de pan
250 g de queso parmesano
rallado

## Preparación

1)  Precalentar el horno a 200 °C. Sacar la bandeja del horno y cubrirla con papel encerado.

2)  Sobre el papel hacer varias montañitas de queso poniendo un palito de pan en el centro de cada una. Hay que dejar suficiente espacio entre una y otra para que al fundir el queso no se peguen.

3)  Introducir las piruletas en el horno unos 4 o 5 minutos aproximadamente, o hasta que el queso esté fundido. Dejarlas enfriar y servir. Repetir el proceso tantas veces como haga falta hasta que se acaben los palitos.

## Trucos

Puedes partir algunos palitos en dos para que queden piruletas de diferentes alturas y el plato resulte más vistoso.

Puedes montar las piruletas poniendo los palitos planos, con la forma de las piruletas de caramelo. Sirve las piruletas en un vaso.

### ¿SABÍAS QUE...?

Dentro de la clasificación de los quesos, el parmesano pertenece a los muy curados (con un contenido mínimo en grasa del 60%). El contenido de calcio se relaciona con la mayor o menor presencia de agua, por eso es el alimento más rico en calcio que existe, además de aportar vitaminas liposolubles A y D. Por todo lo anterior, se trata de un aperitivo muy recomendable en mujeres embarazadas y pre-menopáusicas.

### VALORACIÓN NUTRICIONAL

(1 COMENSAL)

Energía: 259,74 kcal

Proteínas totales: 18,15 g

Lípidos totales: 14,25 g

(Ácidos grasos saturados: 8,63 g)

Glúcidos: 14,72 g

vegetariano  arta para celíacos  sin lactosa

# Hummus
# o paté de garbanzos

**Ingredientes**

250 g de garbanzos cocidos

1 chorrito de aceite de oliva

1 diente de ajo

1 limón

1 cucharada de tahina

Verduras al gusto

## Preparación

1) Mezclar con el *Minipimer* los garbanzos, el zumo de limón, el ajo, el tahina y un poco de sal. Si es demasiado espeso añadir un poco de líquido de los garbanzos o simplemente de agua. Enfriar un poco.

2) Servirlo en el centro de un plato con un buen chorro de aceite de oliva y rodeado de diferentes verduritas cortadas en forma de bastón al gusto. También se puede servir con pan de pita tostado, o palitos de pan.

3) Cada comensal untará una buena porción de hummus con las verduras o los palitos de pan.

## Trucos

Es un aperitivo que gusta a todo el mundo; aunque te parezca un poco raro por tener como ingrediente el tahina, no dejes de hacerlo.
Si no les gustan las legumbres, cocínalo cuando no te vean, no reconocerán el sabor a garbanzo.
Puedes encontrar el tahina en las tiendas de productos dietéticos; aunque sólo emplees una cucharada, se conserva muchísimo tiempo en la nevera.
Puedes dejarlo preparado hasta con dos días de antelación, guardándolo tapado en la nevera.
Si tienes *Thermomix*, pon todos los ingredientes en el vaso y prográmalo 4 minutos a velocidad 5-7-9, o hasta que veas que queda una pasta fina.

### VALORACIÓN NUTRICIONAL

(1 COMENSAL)

**Energía:** 254,09 kcal

**Proteínas totales:** 12,13 g

**Lípidos totales:** 8,94 g

(Ácidos grasos saturados: 0,91 g)

**Glúcidos:** 31,14 g

# PRIMEROS PLATOS

Cremas, sopas, pasta, legumbres, arroces y verduras.
Colores y sabores para empezar la comida
con un plato sabroso y nutritivo.

# Crema de calabaza con manzana golden

### Ingredientes

250 ml de Soya Cuisine
(crema de leche de soja)

800 g de calabaza

60 g de cebolla

3 manzanas

1 chorrito de aceite de oliva

1 l de agua

1 pastilla de caldo vegetal

1 pizca de pimienta negra

1 pizca de tomillo

### VALORACIÓN NUTRICIONAL

(1 COMENSAL)

Energía: 403,14 kcal

Proteínas totales: 18,48 g

Lípidos totales: 26,18 g

(Ácidos grasos saturados: 5,68 g)

Glúcidos: 23,40 g

### ¿SABÍAS QUE...?

La Soya Cusine es una preparación a base de soja con la misma textura que la nata líquida. Así baja la grasa saturada del plato y es apto para alérgicos a la lactosa. En su lugar se puede usar nata líquida o crema de leche.

## Preparación

1) Pelar y trocear la calabaza y dos manzanas de forma irregular. Cortar la cebolla en dados grandes y sofreírla en la olla.

2) Añadir la calabaza, la manzana y el tomillo; sofreír unos 8 o 10 minutos.

3) Agregar a lo anterior el caldo vegetal y, cuando llegue al punto de ebullición, tapar y dejarlo con el fuego más bajo unos 30 minutos.

4) Cortar la manzana restante en pequeños daditos y cocerla en el microondas tapada durante 2 minutos.

5) Pasar la crema por el *Minipimer*, añadiendo la Soya Cuisine. Servir espolvoreado con tomillo fresco picado y los dados de manzana a modo de picatostes.

## Trucos

Si tienes *Thermomix*, introduce en el vaso la cebolla, la manzana, la calabaza y el tomillo. Tritúralo unos segundos a velocidad 5, añade entonces 50 gramos de aceite de oliva y programa 10 minutos, temperatura varoma, velocidad 2. Una vez pasado el tiempo, añade el resto de ingredientes, excepto los dados de manzana, y programa 15 minutos, velocidad 1, temperatura 100 °C. Tritúralo todo 3 minutos a velocidad 5-7-9 o hasta que la crema quede bien fina. Rectifica de sal y sírvelo con los tropezones de manzana. Si usas nata líquida en vez de Soya Cuisine, añádela al final.

apta para celíacos  ovolacteo-vegetariano

# Crema de calabacín, zanahoria y cebolla

**5**

Ingredientes

2 calabacines

2 zanahorias

1 cebolla

1 pastilla de caldo vegetal

250 ml de leche

## Preparación

1) Pelar el calabacín, la zanahoria y la cebolla y cortarlos en trozos grandes.

2) En una olla poner las verduras, cubrirlas con agua y añadir la pastilla de caldo. Dejarlo hervir unos 20 o 30 minutos, hasta que al pinchar la zanahoria esté blanda.

3) Incorporar la leche y pasar todo por el *Minipimer*. Rectificar de sal y servir.

## Trucos

Si es la época de los calabacines no hace falta pelarlos, pero si no, pélalos porque a veces la piel da un sabor amargo a la crema.

Cuando la verdura esté cocida quedará muy poca agua. Si está demasiado espesa añade más leche o más agua.

Si tienes *Thermomix*, introduce en el vaso la cebolla y el calabacín y la zanahoria cortada a trozos grandes. Tritúralo unos segundos a velocidad 4, añade entonces el agua hasta que cubra las verduras picadas y la pastilla de caldo. Programa 25 minutos, temperatura varoma, velocidad 2. Una vez pasado el tiempo añade la leche, salpimenta y programa 5 minutos, velocidad 1, temperatura 90 °C. Tritura todo 3 minutos a velocidad 5-7-9 o hasta que la crema quede bien fina; rectifica de sal y ya lo puedes servir.

**VALORACIÓN NUTRICIONAL**

(1 COMENSAL)

**Energía:** 211,36 kcal

**Proteínas totales:** 6,83 g

**Lípidos totales:** 5 g

(Ácidos grasos saturados: 3,12 g)

**Glúcidos:** 34,75 g

30  1 a 3  arta para celíacos  ovolacteo-vegetariano

# Crema de coliflor y zanahorias con picatostes

**5**

### Ingredientes

1 cucharada de cebollino picado

1/2 coliflor

1/2 pimiento verde

1/2 cebolla

2 patatas

1 zanahoria

1 vaso de leche

1 cucharada de mantequilla

1 queso fresco de Burgos

## Preparación

1) Limpiar la zanahoria y cortarla a trozos gruesos.

2) Cortar la coliflor en ramas. Pelar y cortar las patatas a dados grandes.

3) En una olla poner la zanahoria, la coliflor, las patatas, la media cebolla sin cortar y el medio pimiento.

4) Cubrirlo de agua y dejar que hierva; una vez cocido (al pinchar las patatas y las zanahorias tienen que estar blanditas), retirar la cebolla y el pimiento y pasarlo todo por el *Minipimer*.

5) Añadir la leche, la mantequilla y el queso cortado en dados. Decorar con el cebollino.

## Trucos

Esta crema es muy buena, a todo el mundo le encanta. Es de color naranja, por la zanahoria, y casi no se aprecia la coliflor.

Si quieres, no le pongas los picatostes de queso.

**¿SABÍAS QUE...?**
La coliflor procede de Turquía y fue introducida en Europa en el siglo XIII. Es depurativa, laxante y remineralizante.

**VALORACIÓN NUTRICIONAL**

(1 COMENSAL)

**Energía:** 185,99 kcal

**Proteínas totales:** 7,89 g

**Lípidos totales:** 7,76 g

(Ácidos grasos saturados: 4,51 g)

**Glúcidos:** 21,15 g

vegetariano apta para celíacos

# Sopa de espárragos trigueros y queso

 3

**Ingredientes**

2 cucharadas
de aceite virgen de oliva

225 ml de agua

1 manojo de espárragos trigueros

125 g de ricota

## Preparación para la *Thermomix*

1) Quitar el tallo duro de los espárragos. Introducirlos en el microondas, en un recipiente tapado, con una cucharada de aceite de oliva y cocinarlos unos 4 minutos a máxima potencia.

2) Triturar los espárragos con la *Thermomix* a velocidad 5-7-9; añadir el agua y cocinarlos durante 5 minutos y a una temperatura de 90 ºC. Si queda una textura demasiado pastosa, agregar un poco más de agua.

3) Colocar en cada plato una *quenelle* de queso en el centro y unas gotas de aceite virgen.

4) Ajustar el punto de sal de la sopa y servirla en una jarra. También se puede añadir unas virutas de parmesano o un poco de queso rallado.

## Trucos

Si deseas hacer este plato para adultos y que quede muy bonito y sofisticado, no tritures las puntas de los espárragos una vez cocinadas en el microondas. Saltéalas en una sartén hasta que queden doraditas; añádeles un poco de sal y pon dos por plato a la hora de emplatar.

Esta sopa tiene un punto especial si empleas agua mineral con gas en vez de agua corriente.

No utilices espárragos enlatados para hacer esta receta, queda fatal.

Si no tienes ricota puedes utilizar requesón.

**VALORACIÓN NUTRICIONAL**

(1 COMENSAL)

Energía: 115,99 kcal

Proteínas totales: 5,59 g

Lípidos totales: 9,17 g

(Ácidos grasos saturados: 2,77 g)

Glúcidos: 2,77 g

30   1 a 3  arta para celíacos

# Crema de judías blancas

6

**Ingredientes**

2 ramas de apio

2 cebollas

500 g de judías blancas hervidas

150 ml de nata líquida

250 ml de leche

500 ml de agua

3 cucharadas de aceite de oliva

1 pizca de nuez moscada

1 pizca de una pastilla
de caldo vegetal

1 pizca de sal

## Preparación

1) En una olla sofreír un poco la cebolla y el apio cortados ambos a trozos grandes.

2) Añadir las judías y el resto de ingredientes, excepto la nata líquida.
   Dejarlo hervir media hora.

3) Pasar por el *Minipimer*.

4) Antes de servir incorporar la nata líquida, sin que llegue a hervir. Decorar, si se desea, con perejil picado.

## Trucos

Esta crema agradará a los niños a los que no les gustan las legumbres, ya que tiene un sabor muy agradable y no se distingue que son judías.
Si tienes invitados ralla un poco de trufa negra por encima y verás qué éxito.
Si tienes *Thermomix*, introduce en el vaso la cebolla y el apio, y tritúralo unos segundos a velocidad 5; añade entonces 50 gramos de aceite de oliva y programa 7 minutos, temperatura varoma, velocidad 2.
Una vez pasado el tiempo, añade el resto de ingredientes, excepto la nata líquida, y programa 15 minutos, velocidad 1, temperatura 100 ºC.
Tritura todo 3 minutos a velocidad 5-7-9 o hasta que la crema quede bien fina; agrega la nata líquida y mézclalo unos segundos a velocidad 4; rectifica de sal y ya lo puedes servir.

**VALORACIÓN NUTRICIONAL**

(1 COMENSAL)

**Energía:** 248,18 kcal

**Proteínas totales:** 14,35 g

**Lípidos totales:** 17,05 g

(Ácidos grasos saturados: 5,42 g)

**Glúcidos:** 9,32 g

 vegetariano arta para celíacos

# Sopa de arroz para los enfermitos

**Ingredientes**

2 cucharadas de aceite de oliva

12 tazas de café de agua

4 tazas de café de arroz

1 diente de ajo

1/2 cebolla

1/4 de una pastilla de caldo
de pollo

## VALORACIÓN NUTRICIONAL

(1 COMENSAL)

Energía: 300,82 kcal

Proteínas totales: 5,36 g

Lípidos totales: 5,06 g

(Ácidos grasos saturados: 0,71 g)

Glúcidos: 58,46 g

**¿SABÍAS QUE...?**
Esta receta también es muy
adecuada cuando un adulto
se encuentre mal de la tripa,
ya que además del poder
astringente del arroz
y de la hidratación natural
del agua, contiene almidón,
que resulta una excelente
fuente de energía al estar
formado por un entramado
de cadenas cuyo componente
unitario es la glucosa.

## Preparación

1) Laminar el ajo y cortar la cebolla en cuadraditos.

2) En un cazo poner el aceite y añadir el ajo
   y la cebolla. Cuando el ajo esté dorado, aunque
   la cebolla esté un poco cruda, agregar
   el arroz y remover para que coja un poco
   de sabor.

3) Incorporar el agua y el cuarto de la pastilla
   de caldo. Dejarlo hervir, aproximadamente
   tardará 20 minutos. Debe quedar una sopa
   espesa, con poco caldo. Servir inmediatamente.

## Trucos

La gracia de esta sopa está en que el niño se come
todo el almidón del arroz, que es justamente lo que
necesita cuando está mal de la tripa.

Aunque lo clásico sea hacerla cuando el niño está
enfermo, les encanta siempre.

Si tu hijo es un poco pesado, una vez esté dorado
el ajo y la cebolla retíralos antes de poner el arroz,
así no encontrará «tropezones».

Recuerda que cuanto más lenta sea la cocción
de la sopa, más bueno será el gusto.

# Sopa de estrellitas exprés

Ingredientes

1 l de caldo de pollo

200 g de estrellitas

50 g de queso emmental rallado

2 huevos

4 lonchas de jamón york

## VALORACIÓN NUTRICIONAL

(1 COMENSAL)

**Energía:** 288,53 kcal

**Proteínas totales:** 18,44 g

**Lípidos totales:** 7,98 g

(Ácidos grasos saturados: 3,30 g)

**Glúcidos:** 35,74 g

### ¿SABÍAS QUE...?

El huevo es una excelente fuente de proteínas, no sólo por la cantidad que contiene, sino por su gran calidad biológica.
La clara aporta vitamina B12 y niacina (vitamina B1) y en menores cantidades sodio y potasio. Por su parte, la yema contiene hierro y cobre.

## Preparación

1) Poner la pasta en un recipiente apto para el microondas y añadir agua hasta que sobrepase dos dedos por encima de la pasta. Cocinarla a máxima potencia los minutos que indique el paquete.

2) Mientras, cortar el jamón en cuadraditos pequeños y hacer un revoltillo con los huevos.

3) Cuando veamos que la pasta está hecha, servirla en cuatro platos soperos, añadiendo un poco de revoltillo de jamón y de queso en cada plato. Por último agregar el caldo. No es necesario calentar el caldo, ya que, como la pasta está caliente, la sopa acaba teniendo una temperatura tibia ideal para los niños.

## Trucos

Esta receta es perfecta para una cena de domingo, cuando no se tiene tiempo ni ganas de cocinar.
Se puede hacer con caldo de brik.
Es un plato único que chifla a los niños si se le añade una fruta de postre.
Lo tradicional sería hervir la pasta con el caldo, pero haciéndolo así se «ahorra» un poco de caldo y con un brik hay bastante para todos.
Se puede hervir la pasta en vez de hacerla en el microondas.

 **15** sin lactosa

# Cintas nido con verduras

 **5**

Ingredientes

200 g de cintas

2 dientes de ajo

2 puerros

3 calabacines

3 zanahorias

3 anchoas

1 copa de aceite de oliva

## Preparación

1)  Poner en una sartén con el aceite en frío las anchoas a trozos y el ajo laminado; cuando las anchoas estén disueltas agregar los puerros cortados a láminas y las demás hortalizas cortadas a tiras finas. Remover.

2)  Apagar el fuego y pasar toda la mezcla a un recipiente apto para el microondas. Cocinar las verduras tapadas 5 minutos a máxima potencia, o hasta que veamos que están en el punto que nos gusta.

3)  Cocer las cintas en abundante agua hirviendo con sal. Escurrir. Juntar la pasta con las verduras y servir.

## Trucos

Aunque a los niños no les gusten las anchoas no las notarán, ya que con el calor se «desintegran». Puede ser que a tus niños les den «pereza» los trozos de verdura; si te parece oportuno, córtalas a dados más pequeños, pero no se los apartes. Tienen que aprender a comer con «tropezones»; cuando lo prueben verás cómo les encanta.

### VALORACIÓN NUTRICIONAL

(1 COMENSAL)

**Energía:** 328,74 kcal

**Proteínas totales:** 11,77 g

**Lípidos totales:** 10,78 g

(Ácidos grasos saturados: 1,43 g)

**Glúcidos:** 46,16 g

# Fideuá de ajo

**Ingredientes**

250 g de fideos

cabello de ángel

4 cucharadas de alioli

5 dientes de ajo

3 piezas de cayena

1 pastilla de caldo de verduras

5 cucharadas de aceite de oliva

## Preparación

1) Poner a hervir el agua con la pastilla de caldo. Elegir una paella, laminar el ajo y ponerlo junto con la cayena con el aceite frío. Cuando esté dorado, retirar la cayena.

2) Añadir los fideos a la paella; ir removiendo para que no se quemen, pero que queden doraditos.

3) Cubrirlos ligeramente con el caldo y cocerlos a fuego fuerte.

4) Cuando las puntas de los fideos estén hacia arriba, significa que ya están hechos. Añadir más caldo o agua, si se necesita, durante la cocción. Aproximadamente la pasta tardará unos 2 minutos en estar a punto, tal como dice el paquete.

5) Dejar reposar un poco la fideuá. Se sirve con una salsa mayonesa con ajo muy espesa, o bien alioli.

## Trucos

Para calcular el agua que se necesita, poner la pasta en una taza. Necesitaremos tanta pasta como agua. Es decir, que si la pasta ocupa dos tazas, necesitaremos dos tazas de agua, como máximo un poquito más.

Se pueden añadir unas gambitas o calamares a la vez que el ajo.

### VALORACIÓN NUTRICIONAL

(1 COMENSAL)

Energía: 421,50 kcal

Proteínas totales: 8,08 g

Lípidos totales: 23,02 g

(Ácidos grasos saturados: 3,14 g)

Glúcidos: 11,48 g

15

# Hélices con coliflor y pasas

 5

Ingredientes

250 g de hélices

2 ajos

4 anchoas

1/2 coliflor

30 g de pasas de Corinto

5 cucharadas de aceite de oliva

## VALORACIÓN NUTRICIONAL

(1 COMENSAL)

Energía: 303,01 kcal

Proteínas totales: 10,03 g

Lípidos totales: 10,45 g

(Ácidos grasos saturados: 1,38 g)

Glúcidos: 42,21 g

## ¿SABÍAS QUE...?

La coliflor es anticancerígena por su gran aporte de sustancias antioxidantes (polifenoles y carotenoides), que además también están implicadas en la prevención del envejecimiento cutáneo y del infarto de miocardio.

## Preparación

1) Rallar la coliflor con un rallador grueso. En una sartén con el aceite en frío poner las anchoas a trozos y el ajo aplastado. Una vez dorado, retirar el ajo y poner la coliflor y las pasas. Taparlo y dejar que se cocine unos 7 minutos aproximadamente.

2) Hervir la pasta siguiendo las indicaciones del paquete y una vez escurrida mezclar con lo anterior. Servir caliente.

## Trucos

La coliflor debe quedar un poco *al dente:* al cocinarla así no tiene ese sabor tan fuerte que los niños odian.

Si no les gustan las pasas, puedes prescindir de ellas. Aunque no les gusten las anchoas, este plato les agradará, ya que éstas se «desintegran» en el aceite. Dejan un saborcito muy bueno pero que no se sabe de qué es.

También se puede hacer con brócoli, queda más vistoso al contrastar el color con la pasta, pero si no les gustan las verduras es mejor con coliflor, ya que probablemente no se darán ni cuenta de lo que es.

Si tienes *Thermomix* puedes picar la coliflor en el vaso unos segundos a velocidad 5.

30 vegetariano

# Lasaña de verdura con pipas de calabaza

4

## Ingredientes

90 g de aceite de oliva (30 g para el sofrito, 60 g para la bechamel)

400 g de calabacín

300 g de puerro

30 g de harina de trigo refinada

6 placas de lasaña

300 cl de leche

4 cucharadas de pipas de calabaza

## Preparación para la *Thermomix*

1) Cocer la pasta y reservar las placas cortándolas por la mitad, de manera que queden 12 trozos.

2) Limpiar los puerros y triturarlos en la *Thermomix*, a velocidad 3 1/2. Añadir el calabacín cortado en rodajas gruesas; cortarlo también a velocidad 3 1/2, pero pocos segundos para que queden trozos gruesos.

3) Añadir 60 gramos de aceite, sal y pimienta y programar 12 minutos a velocidad 1 1/2 a temperatura varoma. Comprobar si están hechas las verduras, y si no lo están emplear más tiempo.

4) Limpiar el vaso, añadir la harina y programar 3 minutos velocidad 1 1/2, temperatura varoma. Agregar la leche, el aceite restante, sal y pimienta y programar 5 minutos a velocidad 4 y a 90 °C.

5) En una sartén sin aceite tostar las pipas.

6) Emplatar. Colocar una placa de lasaña y dentro un poco de relleno, en forma de abanico. Repetir la misma operación con otra capa y terminar con una capa de pasta. Cubrir con la salsa bechamel y las pipas.

## VALORACIÓN NUTRICIONAL

(1 COMENSAL)

**Energía:** 342,95 kcal

**Proteínas totales:** 9,81 g

**Lípidos totales:** 24,6 g

(Ácidos grasos saturados: 4,30 g)

**Glúcidos:** 20,59 g

## Trucos

Si no tienes *Thermomix,* pocha el puerro, añade el calabacín, tapa la sartén y baja el fuego. Prepara la bechamel, hierve la pasta y monta la lasaña como se especifica en la receta.

ovolacteo-vegetariano

# Lasaña con puerros y lentejas

6

### Ingredientes

225 g de champiñones

1 caja de placas de lasaña

100 g de lentejas

25 g de mantequilla

450 g de puerro

50 g de queso parmesano rallado

300 g de salsa bechamel

450 g de tomate pelado enlatado

2 dientes de ajo

1 zanahoria

3 cucharadas de aceite de oliva

1 cucharadita de orégano

Salsa de soja

Pimienta negra

## Preparación

1) Rehogar los puerros finamente cortados, la zanahoria, los champiñones y los ajos machacados.

2) Añadir las lentejas cocidas, los tomates cortados y escurridos, las hierbas y la salsa de soja. Tapar y cocinar 15-20 minutos.

3) Precalentar el horno a 180 °C. Mientras tanto, cocer la lasaña hirviéndola en agua y sal.

4) Colocar una capa de lasaña en una fuente de horno ligeramente engrasada. Cubrir con otra capa de la mezcla de lentejas y otra de bechamel. Seguir hasta que se acaben todos los ingredientes, finalizando con una capa de salsa.

5) Espolvorear con queso parmesano rallado y dados de mantequilla y gratinar unos 5 o 6 minutos, o hasta que esté dorado.

## Trucos

Si tienes *Thermomix*, tritura en el vaso los puerros a velocidad 5 hasta que estén «cortados»; añade los champiñones y la zanahoria, y vuelve a triturar unos segundos a velocidad 5. Añade el aceite y programa 12 minutos a velocidad 1 1/2, temperatura varoma. Salpimentar. Agrega al vaso los tomates mal cortados, las lentejas, las hierbas y la soja 20 minutos a velocidad 1, temperatura varoma.

Si queda muy líquido ponlo de 5 a 8 minutos más destapándola para que el líquido se evapore.

### VALORACIÓN NUTRICIONAL

(1 COMENSAL)

**Energía:** 321,22 kcal

**Proteínas totales:** 13,73 g

**Lípidos totales:** 16,98 g

(Ácidos grasos saturados: 7,72 g)

**Glúcidos:** 28,38 g

# Macarrones con salsa de tomate especial

**5**

**Ingredientes**

250 g de macarrones

350 g de pimiento rojo

75 g de queso emmental rallado

400 g de tomate frito

3 cucharadas de aceite de oliva

3 dientes de ajo picado

3 ramas de apio

2 cebollas

## Preparación

1) Limpiar el pimiento e introducirlo tapado en el microondas a máxima potencia, unos 7 minutos. Dejarlo reposar y quitarle el rabo y pelarlo. Reservar.

2) Cortar la cebolla y el apio a dados y pocharlos en la sartén a fuego lento con el aceite de oliva hasta que estén blanditos, unos 15 minutos.

3) Añadir al apio y a la cebolla el tomate y el pimiento mal cortado, remover unos minutos, salpimentar y triturarlo muy bien en el *Minipimer*. Obtendremos mucha salsa: una parte la utilizamos y a la otra la guardamos en la nevera.

4) Hervir la pasta siguiendo las instrucciones del paquete y servirla con la salsa de tomate y queso rallado.

## Trucos

Con esta salsa los niños comerán verdura sin enterarse. Si quieres, pon la cebolla, el ajo y el apio tapados en el microondas a máxima potencia con un poco de aceite unos 8 minutos y luego acábalos de cocinar en la sartén. Si tienes *Thermomix* tritura unos segundos la cebolla, el apio y la cebolla a velocidad 5. Cuando estén picados añade 50 g de aceite y cocínalos a temperatura varoma, velocidad 1 1/2, 15 minutos o hasta que estén blanditos. Agrega entonces el tomate y tritúralo todo muy fino a velocidad 5-7-9 unos 2 o 3 minutos.

---

### VALORACIÓN NUTRICIONAL

(1 COMENSAL)

**Energía:** 308,20 kcal

**Proteínas totales:** 12,42 g

**Lípidos totales:** 8,68 g

(Ácidos grasos saturados: 3,48 g)

**Glúcidos:** 45,16 g

 vegetariano

# Pajaritas con aceitunas, anchoas y tomillo

**Ingredientes**

300 g de pajaritas

125 g de aceitunas negras sin hueso

25 g de alcaparras

4 anchoas

1/2 limón

75 ml de aceite de oliva

Tomillo

## Preparación

1) En el *Minipimer* batir las olivas, las anchoas, las alcaparras, un poco de tomillo y el jugo de limón hasta obtener una pasta fina.

2) Incorporarle el aceite y remover con una cuchara hasta que quede perfectamente homogéneo.

3) Hervir la pasta siguiendo las instrucciones del paquete, escurrir y mezclarla con la salsa. No poner queso.

## Trucos

Esta pasta se puede tomar fría como ensalada, o caliente. No se puede calentar la salsa, es la pasta la que debe estar caliente.

Si ves que hay demasiada salsa, guarda lo que te sobre en la nevera, se mantiene muchos días.

La puedes utilizar para la verdura, queda buenísima con el brócoli o las judías verdes.

A muchos niños no les gustan las aceitunas negras: si los convences para que lo prueben les chiflará.

Si se ponen muy pesados hazlo igual pero con aceitunas rellenas, no añadas en ese caso ni las anchoas ni el zumo de limón.

Si tienes *Thermomix*, bate los ingredientes de la salsa en el vaso un minuto a velocidad 5-7-9 o hasta que lo veas bien fino. Añade, por último, el aceite y programa unos segundos a velocidad 1. El aceite se agrega al final para que no se emulsione y se vuelva blanco.

**VALORACIÓN NUTRICIONAL**

(1 COMENSAL)

Energía: 353,22 kcal

Proteínas totales: 7,44 g

Lípidos totales: 19,77 g

(Ácidos grasos saturados: 2,63 g)

Glúcidos: 36,34 g

ovolacteo-
vegetariano

# Espaguetis integrales con salsa camembert

## Ingredientes

200 g de espaguetis integrales

125 g de queso camembert

60 g de nueces

175 ml de caldo de pollo

150 ml de nata líquida

## Preparación

1) En un recipiente que vaya al fuego mezclar el caldo con la nata; dejar que se reduzca un poco.

2) Añadir el queso sin piel y batir con fuerza hasta que quede una mezcla homogénea.

3) Hervir la pasta en abundante agua con sal siguiendo las instrucciones del paquete.

4) Mezclar la pasta con la salsa y espolvorearlo con las nueces partidas.

## Trucos

Puedes variar el queso y cambiarlo por gorgonzola o roquefort, pero entonces pon mucha menos cantidad, con 50 gramos tendrás suficiente.

No tengas miedo de dar a los niños pasta integral, es muy buena y ellos no notarán la diferencia.

Si quieres puedes realizar la salsa con tiempo. Guárdala en la nevera tapada, pero no la mezcles con la pasta hasta el último momento.

## ¿SABÍAS QUE...?

Esta receta puede ser un plato completo si le añadimos una fruta de postre, ya que con el queso y la nata aportamos una buena fuente de proteínas, calcio y vitaminas A y D. Con los espaguetis integrales obtenemos fibra, que ayuda a prevenir el estreñimiento, y con las nueces, vitamina E y ácido linoleico, esencial en nuestra dieta, además de ser preventivo en enfermedades cardiovasculares.

## VALORACIÓN NUTRICIONAL

(1 COMENSAL)

**Energía:** 408,94 kcal

**Proteínas totales:** 17,09 g

**Lípidos totales:** 21,30 g

(Ácidos grasos saturados: 7,89 g)

**Glúcidos:** 37,22 g

15

 ovolacteo-vegetariano

# Espaguetinis con parmesano al aroma de albahaca

 **6**

Ingredientes

250 g de espaguetinis

100 g de queso parmesano

rallado

4 tomates

75 ml de aceite de oliva

2 cucharadas de albahaca

picada

## Preparación

1) Pelar los tomates y cortarlos en dados pequeños.

2) En un cuenco juntar los tomates, el queso, la albahaca y el aceite de oliva. Dejar macerar 2 horas aproximadamente.

3) Hervir la pasta en abundante agua salada. Escurrirla y pasarla por agua fría. Mezclarla con el tomate y el queso. Salar al gusto.

4) Servir frío, decorándolo con una ramita de albahaca.

## Trucos

La albahaca es imprescindible en esta receta; si no la encuentras fresca, sustitúyela por una cucharada de salsa pesto que puedes encontrar fácilmente en cualquier supermercado.

No compres la albahaca seca, ya que es insípida.

### ¿SABÍAS QUE...?

La pasta italiana es, como elemento nutritivo, muy superior al pan y debería constituir un elemento básico en nuestra dieta. Es esencialmente un alimento energético que no engorda mientras no se mezcle con otros productos, especialmente grasos, y cuya digestión y metabolización son muy rápidas, por lo que constituye un aporte calórico de primer orden.

### VALORACIÓN NUTRICIONAL

(1 COMENSAL)

**Energía:** 401,71 kcal

**Proteínas totales:** 13,66 g

**Lípidos totales:** 21,13 g

(Ácidos grasos saturados: 5,36 g)

**Glúcidos:** 39,23 g

30 sin lactosa  apta para celíacos

# Ensalada de garbanzos y gambas

## Ingredientes

500 g de garbanzos hervidos

350 g de gambas congeladas grandes, peladas

4 gambas rojas

2 huevos duros

2 cucharadas de vinagre de sidra

100 ml de aceite de oliva

1 cucharadita de mostaza

1 pizca de sal

## Preparación

1) Hervir las gambas durante dos minutos y refrescar. También se pueden comprar gambas congeladas ya hervidas: en este caso, simplemente descongelar.

2) Hacer una vinagreta con la mostaza, el aceite, el vinagre y la sal. Añadir los huevos picados muy finos. Dejar en maceración las gambas en la vinagreta 2 horas como mínimo.

3) Añadir los garbanzos a la mezcla anterior y decorarlo, si se desea, con las gambas rojas hechas a la plancha.

## Trucos

No cuezas demasiado las gambas: quedan pequeñas y duras. Si las que compras son muy grandes, córtalas a trozos.

Puedes hacer esta receta cambiando los garbanzos por judías verdes hervidas, es exquisita.

## ¿SABÍAS QUE...?

Esta receta se convierte en plato único añadiéndole una macedonia de postre, ya que el huevo aporta proteína de alto valor biológico, los garbanzos fibra, e hidratos de carbono y las gambas fósforo, yodo y calcio.

## VALORACIÓN NUTRICIONAL

(1 COMENSAL)

Energía: 515,93 kcal

Proteínas totales: 31,62 g

Lípidos totales: 32,77 g

(Ácidos grasos saturados: 4,75 g)

Glúcidos: 23,64 g

⏰ 15  🌼 arta para celíacos

# Garbanzos con carne picada

**5**

### Ingredientes

600 g de garbanzos hervidos

250 g de ternera picada

(o la carne deseada)

2 dientes de ajo picados

1 cucharada de orégano

1 pizca de sal

## Preparación

1) En una cazuela de barro o en una sartén grande y un poco honda, dorar el ajo con el aceite.

2) Añadir a continuación la carne picada, chafándola con el reverso de un tenedor para que quede suelta. Una vez dorada, incorporar los garbanzos bien escurridos y, por último, el orégano.

3) Servir caliente.

## Trucos

Corta el ajo muy pequeñito, porque dará sabor pero los niños no lo verán. Para que no se queme, el truco es ponerlo en la sartén con el aceite en frío. De esta manera el aceite consigue más aroma y nunca se te quemará.

Nunca prescindas del orégano, le da un sabor que a los niños les encanta.

Si utilizas garbanzos en conserva enjuágalos bien antes de emplearlos.

### VALORACIÓN NUTRICIONAL

(1 COMENSAL)

**Energía:** 480 kcal

**Proteínas totales:** 21,56 g

**Lípidos totales:** 30,98 g

(Ácidos grasos saturados: 8,48 g)

**Glúcidos:** 28,78 g

vegetariano    apta para celíacos    sin lactosa

# Judías blancas con puerros y calabacín

### Ingredientes

500 g de judías blancas hervidas

1 calabacín

2 puerros

1 cucharada de aceite de oliva

4 cucharadas de vinagreta básica

## Preparación

1) Cortar el puerro en arandelas muy finas y el calabacín a dados pequeños. Introducir el puerro en un recipiente apto para microondas y cocinarlo tapado, con una cucharada de aceite, durante 6 minutos a máxima potencia (tiene que quedar muy tierno). Añadir el calabacín y cocerlo 3 minutos más.

2) Para hacer la vinagreta mezclar 1 cucharadita de mostaza, sal, pimienta, 1 cucharada de vinagre y 4 de aceite de oliva.

3) Calentar las judías y mezclarlas con el calabacín y con los puerros. Aliñar con la vinagreta.

## VALORACIÓN NUTRICIONAL

(1 COMENSAL)

Energía: 254,83 kcal

Proteínas totales: 11,10 g

Lípidos totales: 12,19 g

(Ácidos grasos saturados: 1,74 g)

Glúcidos: 25,18 g

## Trucos

Puedes pelar el calabacín o no hacerlo. Si es verano, su piel es muy tierna y nunca amarga, pero si haces este plato en invierno es mejor pelarlo.

Si en tu casa son un poco antiverduras, pela el calabacín y rállalo: se vuelve casi «invisible».

Es muy bueno servir este plato como una ensalada tibia: pon las judías frías y las verduras tibias.

### ¿SABÍAS QUE...?

Las judías blancas son ricas en vitamina E, antioxidante a nivel celular; vitamina B2, que participa en el equilibrio nutricional, y ácido pantoténico, muy importante para el organismo, ya que su déficit produce un fallo metabólico generalizado.

15 · apta para celíacos · sin lactosa

# Lentejas con calamar

### Ingredientes

350 g de calamar

500 g de lentejas hervidas

150 g de tomates cherry

2 dientes de ajo

3 cucharadas de salsa pesto

4 cucharadas de aceite de oliva

1 cucharada de vinagre
de sidra

## Preparación

1) Pedir al pescadero que limpie los calamares
   deje las patas enteras y corte el cuerpo
   en rectángulos de aproximadamente
   2 o 3 centímetros.

2) En una sartén con 4 cucharadas de aceite saltear
   a fuego vivo los calamares 2 minutos y añadir
   entonces los tomates 2 minutos más.
   No tienen que romperse, es sólo un golpe
   de fuego. Reservar.

3) Laminar los ajos y freírlos con el aceite
   de los calamares, agregar el vinagre.
   Añadir este aliño a los calamares y los tomates.

4) Mezclar las lentejas con los tomates,
   los calamares y la salsa pesto. Servir.

## Trucos

Este plato es bueno frío o tibio.
Si el calamar y la sepia te suelen quedar duros,
la solución es muy sencilla. Tienes que cocinarlos
poquísimo, en cuanto veas que se vuelven opacos
(cosa que sucede en un minuto o dos) retíralos,
verás qué tiernos quedan. Es importante tener
la sartén muy caliente a la hora de hacer el calamar.
Puedes servir este plato con una base
de espinacas frescas a modo de ensalada.

### VALORACIÓN NUTRICIONAL

(1 COMENSAL)

**Energía:** 321,94 kcal

**Proteínas totales:** 22,92 g

**Lípidos totales:** 17,49 g

(Ácidos grasos saturados: 2,46 g)

**Glúcidos:** 18,23 g

# Potajillo de lentejas

### Ingredientes

250 g de lentejas pardinas

1 calabacín

1 cebolla

1 zanahoria

1 pastilla de caldo vegetal

## Preparación

1) Dejar en remojo las lentejas en agua, mínimo 2 o 3 horas.

2) Pelar la zanahoria, el calabacín y la cebolla. Cortarlo todo a dados.

3) En una olla exprés poner todos los ingredientes y cubrirlos con agua que sobrepase dos dedos; añadir la pastilla de caldo.

4) Cerrar la olla y, una vez empiece a silbar, mantenerla 6 minutos a fuego medio. Dejarlo reposar.

5) Abrir la olla, rectificar de sal y servir.
Las lentejas pardinas hacen un caldo grueso que a los niños les encanta.

## Trucos

A este plato no le hace falta añadir aceite ni sofritos o embutidos. Al no tener grasa es muy ligero y muy bajo en calorías.

Se pueden variar las verduras, es acertado hacerlo con coliflor, cebolla y calabacín, cortando la coliflor a «flores» pequeñas.

En todos los colegios dan potajes de lentejas, y aunque normalmente son sin verduras, no tendrás problemas en que se coman éstas si se las das con seguridad. Así conseguirás que aumenten la ingesta de verduras.

### VALORACIÓN NUTRICIONAL

(1 COMENSAL)

**Energía:** 222,77 kcal

**Proteínas totales:** 17,09 g

**Lípidos totales:** 1,10 g

(Ácidos grasos saturados: 0,17 g)

**Glúcidos:** 36,13 g

# Salchicha estrellada

Ingredientes

100 g de champiñones

500 g de judías

blancas hervidas

300 g de salchichas

1 cucharada de ajo picado

## VALORACIÓN NUTRICIONAL

(1 COMENSAL)

**Energía:** 349,45 kcal

**Proteínas totales:** 19,19 g

**Lípidos totales:** 20,29 g

(Ácidos grasos saturados: 7,19 g)

**Glúcidos:** 22,52 g

## ¿SABÍAS QUE...?

Este plato es ideal para conseguir una combinación óptima de legumbre y proteína de alto valor nutricional, ya que las posibles deficiencias proteicas de las judías quedan perfectamente compensadas con los aminoácidos de la carne (sea salchicha, butifarra o morcilla).

## Preparación

1) En una sartén dorar los champiñones cortados a dados, añadir el ajo picado y, una vez dorado, poner las salchichas, a las que habremos sacado la piel, por lo que quedarán «rotas». Cuando estén hechas, apagar el fuego y reservar.

2) En una sartén grande poner 4 cucharadas de aceite, añadir las judías blancas bien escurridas y repartidas por la sartén de modo que todas tengan fuego debajo y no formen montaña. Se tienen que dorar bien y quedar una capa crujientita.

3) Mezclar con las salchichas y los champiñones.

## Trucos

Se puede hacer igual con butifarra o morcilla; si es esta última, poner menos cantidad, ya que es muy fuerte.

Sírvelo con un poco de lechuga, tomate cortado o zanahoria cruda, para que sea un plato único.

 sin lactosa

# Arroz con almejas

**5**

Ingredientes

300 g de almejas

15 tazas de café de agua

6 tazas de café de arroz

3 dientes de ajo

1 pastilla de caldo de pescado

2 cucharadas de aceite de oliva

1/2 cucharadita
de pimienta negra

1 pizca de perejil

## VALORACIÓN NUTRICIONAL

(1 COMENSAL)

Energía: 352,83 kcal

Proteínas totales: 8,80 g

Lípidos totales: 4,61 g

(Ácidos grasos saturados: 0,71 g)

Glúcidos: 69,04 g

### ¿SABÍAS QUE...?
Las almejas son ricas en proteínas y hierro y bajas en grasa, calorías y colesterol.

## Preparación

1) Poner las almejas a remojo (mínimo una hora) con agua fría y sal, para que suelten la tierra. Una vez pasado este tiempo, colarlas.

2) Hervir el agua con la pastilla de caldo y mantener caliente.

3) Elegir una cazuela de barro. Picar los dientes de ajo y freírlos con el aceite; cuando estén dorados añadir las almejas.

4) Esperar a que las almejas se abran, agregar el perejil picado y salpimentar.

5) Echar el arroz a la cazuela de las almejas y revolver para que éste absorba el sabor.

6) Verter el agua sobre el arroz sin removerlo, dejar que hierva 10 minutos; llegado este punto apagar el fuego y tapar la cazuela con dos paños de cocina, uno sobre el otro. Pasados 10 minutos destapar y servir.

## Trucos

Si siempre te sale mal el arroz, no te preocupes: el truco es contar el arroz y el agua. El líquido tiene que ser exactamente dos veces y media el arroz, por eso es muy importante que la misma taza sea la medida. Cuando, pasados 10 minutos, apagues el fuego, verás que queda agua por absorber; no te preocupes: la irá cogiendo el arroz en el tiempo de reposo. Cuidado con la sal, ya que las almejas son muy saladas.

# Arroz a la Regance

## 6

### Ingredientes

6 tazas de café de arroz

Caldo de pollo (14 tazas + 1 vaso)

150 g de champiñones

2 contramuslos deshuesados

100 ml de vino blanco

3 cucharadas de aceite de oliva

1 cucharadita de perejil picado

1 cucharadita de hierbas
de Provenza

1 cucharadita de harina de trigo

## Preparación

1) En una sartén ancha o una cacerola, cocer
el arroz con las 14 tazas de caldo hirviendo.
Hervirlo 10 minutos a fuego fuerte sin remover,
apagar el fuego y dejarlo reposar 10 minutos
más, bien tapado. Lavar los champiñones
y cortarlos en dados pequeños.

2) En otra sartén cocinar el pollo cortado en dados
con 2 cucharadas de aceite, añadir los
champiñones y cuando esté todo dorado
agregar el vino blanco.

3) Una vez evaporado el vino blanco, añadir
una cucharada de harina, remover con unas
varillas unos 3 minutos; verter poco a poco
el vaso de caldo hasta que quede
una salsa. Salpimentar.

4) Escoger un molde de semiesfera, o más fácil,
un tazón de desayuno grande: colocar el arroz
por las paredes de éste presionando con fuerza
y en medio verter la salsa. Acabar de rellenar
el molde con arroz.

5) Desmoldar, decorando con hierbas de Provenza,
perejil fresco y un poco de salsa o de aceite.

## VALORACIÓN NUTRICIONAL

(1 COMENSAL)

Energía: 419,50 kcal

Proteínas totales: 14,40 g

Lípidos totales: 8,04 g

(Ácidos grasos saturados: 1,26 g)

Glúcidos: 69,31 g

## Trucos

Para que los champiñones no suelten mucha agua,
sécalos bien y no les añadas la sal hasta el final
de la cocción.

30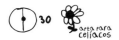

# Arroz con verduritas y atún

**5**

## Ingredientes

6 tazas de café de arroz

15 tazas de café
de caldo vegetal

2 latas de atún

1 calabacín

1 cebolla

1 zanahoria

1/4 de col

### VALORACIÓN NUTRICIONAL

(1 COMENSAL)

Energía: 387 kcal

Proteínas totales: 14,69 g

Lípidos totales: 3,09 g

(Ácidos grasos saturados: 0,62 g)

Glúcidos: 75,10 g

### ¿SABÍAS QUE...?

El atún es un pescado azul
y como tal tiene un sinfín
de propiedades: es
antiinflamatorio, mejora
la artritis, el reuma, el asma,
baja los niveles de colesterol
y controla la hipertensión.

## Preparación

1) Rallar todas las verduras excepto la col,
que la cortaremos a tiritas muy pequeñas.

2) En una paellera u otro recipiente, dorar
la cebolla y después el resto de las verduras.
Salpimentar y añadir el atún chafado
con tenedor.

3) Agregar el arroz y remover para que absorba
todo el sabor de las verduras.

5) Verter el caldo hirviendo sobre el arroz
y no removerlo, dejar que hierva 10 minutos;
llegado este punto apagar el fuego y tapar
la cazuela con dos paños de cocina, uno sobre
el otro. Pasados 10 minutos destapar y servir.

## Trucos

Puedes cambiar el caldo vegetal por caldo de pollo,
de pescado o simplemente por agua con una
pastilla de caldo.

Nunca le separes al niño las verduras del arroz, tiene
que aprender a comérselo con «tropezones»; quizá
te cueste el primer día, pero pasadas unas cuantas
«pataletas» ya te podrás olvidar de este problema.
Añade a este arroz un huevo frito y verás qué éxito.

# Pastel de arroz con sofrito

**6**

Ingredientes

300 g de arroz

400 g de carne picada de ternera

200 g de tomate triturado

2 cebollas

4 cucharadas de aceite de oliva

## Preparación

1) Rallar la cebolla y pocharla en una sartén
con el aceite hasta que esté dorada,
unos 15 minutos, o hasta que esté bien blandita.

2) Añadir la carne picada; pasados unos 4 minutos
más, agregar el tomate y dejar que
se cueza a fuego medio como mínimo
20 minutos más. Debe quedar un sofrito
consistente y poco líquido. Salpimentar
y agregar orégano, o tomillo si se desea.

3) Hervir el arroz en abundante agua. Escurrirlo
y pasar por debajo del chorro de agua fría.

4) Untar un molde tipo *cake* con mantequilla
o aceite. Poner arroz hasta la mitad, el sofrito y el
resto del arroz. Una vez reposado, desmoldarlo.
Si se quiere, servirlo con mayonesa.

## Trucos

Si tienes *Themomix,* pica las cebollas unos segundos a
velocidad 3 1/2, añade 50 gramos de aceite y
programa 10 minutos a velocidad 1 1/2, temperatura
varoma. Agrega la carne y la sal y programa
4 minutos, temperatura varoma, velocidad 1 1/2.
Agrega el tomate y programa 20 minutos a velocidad
1 1/2, temperatura varoma. Si queda muy acuoso
programa unos minutos más quitando el cubilete.
Si tienes la TH-21, coloca la mariposa en el momento
de poner la carne y ya no la quites.

### VALORACIÓN NUTRICIONAL
(1 COMENSAL)

Energía: 453,85 kcal

Proteínas totales: 12,88 g

Lípidos totales: 25,84 g

(Ácidos grasos saturados: 8,19 g)

Glúcidos: 42,44 g

# *Risotto* de gambas

**Ingredientes**

300 g de gambas congeladas
peladas grandes

6 gambas rojas congeladas

2 cebollas

150 ml de vino blanco

700 ml de agua

600 ml de caldo

60 g de aceite de oliva

1 pizca de pimentón

## Preparación para la *Thermomix*

1) Hacer el caldo de gambas poniendo las cabezas junto con el agua. Programar 7 minutos a temperatura varoma, velocidad 5.
Colar el resultado con un colador de malla fina. Reservar.

2) Enjuagar bien el vaso y picar dos cebollas grandes a velocidad 3 1/2. Añadir el aceite, la sal, la pimienta y el pimentón dulce. Programar 7 minutos a temperatura varoma, velocidad 1 1/2.

3) Agregar el arroz y programar, giro a la izquierda 2 minutos a velocidad 1. Añadir entonces el vino blanco. Programar 2 minutos giro a la izquierda a temperatura varoma, velocidad 1.

4) Colocar el recipiente varoma y poner las gambas peladas grandes directamente congeladas. Seguidamente añadir al arroz el caldo muy caliente y programar 11 minutos a temperatura varoma, velocidad 1 1/2, giro a la izquierda.
Una vez finalizado el tiempo, mezclar las gambas con el arroz y servir.

## Trucos

Si tienes la *Thermomix* TH-21, antes de poner el arroz en el vaso coloca la mariposa.
Aunque en la receta hay vino blanco, no supone ningún problema para los niños, ya que el alcohol se evapora.

### VALORACIÓN NUTRICIONAL

(1 COMENSAL)

**Energía:** 324,79 kcal

**Proteínas totales:** 14,18 g

**Lípidos totales:** 10,98 g

(Ácidos grasos saturados: 1,45 g)

**Glúcidos:** 42,32 g

15  1 a 3  apta para celíacos ovolacteo-vegetariano

# Gratinado de puré y espinacas

**Ingredientes**

400 g de espinacas congeladas y trituradas

500 ml de agua

250 ml de leche

50 g de mantequilla

50 g de queso emmental rallado

25 g de queso parmesano rallado

1 sobre de puré de patatas deshidratadas

## Preparación

1) Hervir las espinacas y escurrirlas bien. Reservar.

2) Mientras, hacer el puré (siguiendo las instrucciones del paquete) con el agua, la leche y la mitad de la mantequilla.

3) Mezclar las espinacas con el puré y revolver bien. Colocarlo en una fuente que vaya al horno, cubriéndolo con los dos tipos de queso y trocitos de mantequilla.

4) Gratinar y servir.

## Trucos

Si no os entusiasma el queso, o tienes mucha prisa, lo puedes servir sin gratinar. También así les gusta mucho. Si las espinacas que tienes son enteras, una vez hervidas córtalas concienzudamente.

**VALORACIÓN NUTRICIONAL**

(1 COMENSAL)

**Energía:** 250,68 kcal

**Proteínas totales:** 10,77 g

**Lípidos totales:** 19,63 g

(Ácidos grasos saturados: 11,70 g)

**Glúcidos:** 7,74 g

arta para celíacos

ovolacteo-vegetariano

# Acelgas picantes con huevo y parmesano

Ingredientes

500 g de acelgas

4 huevos

3 dientes de ajo

2 piezas de cayena

25 g de virutas de parmesano

## VALORACIÓN NUTRICIONAL

(1 COMENSAL)

Energía: 117,25 kcal

Proteínas totales: 5,33 g

Lípidos totales: 7,43 g

(Ácidos grasos saturados: 1,725 g)

Glúcidos: 7,23 g

## ¿SABÍAS QUE...?

El huevo constituye un verdadero tesoro gastronómico, ya que las proteínas que aporta suponen una auténtica «proteína etiqueta negra». La clara contiene vitamina B2 y niacina, y la yema hierro y cobre en concentraciones fijas. La proporción de yodo, selenio y magnesio, depende de la cantidad que haya ingerido la gallina.

## Preparación

1) Lavar y cortar las acelgas a trozos de 3 centímetros.

2) En una sartén freír el ajo y la cayena y, una vez los ajos estén dorados, retirar la cayena. Añadir las acelgas un poco mojadas, taparlas, bajar el fuego y dejar cocer.

3) Cuando las acelgas estén *al dente,* cascar los huevos encima como si los hiciéramos al plato y tapar de nuevo para que se cuaje la clara y la yema quede blandita, como cuando hacemos un huevo frito.

4) Pasados unos 3 o 4 minutos, y una vez hechos los huevos, retirar del fuego.

5) Servir, poniendo las virutas de parmesano por encima.

## Trucos

Aunque te parezca difícil, servir este plato es sencillo, ya que al cuajar la clara podremos cortar con la pala las acelgas que hay alrededor de la yema, cogiendo así ración por ración.

Las acelgas merman mucho cuando se cuecen, lo normal es que cuando las pongas en la sartén te quede una montaña inmensa que al cabo de 2 minutos de taparla se reducirá a la mitad.

Si añades una patata hervida, pasta o un poco de arroz ya tienes un plato único muy equilibrado.

ovolacteo-vegetariano  sin lactosa

# Flan de zanahorias

**5**

Ingredientes

1 kg de zanahorias

3 huevos

1 manojo de albahaca

250 ml de Soya Cuisine

(crema de leche de soja)

Cebollino al gusto

Pimienta negra al gusto

Aceite de oliva

## Preparación

1)  Pelar las zanahorias y cortarlas en trozos de 3 centímetros aproximadamente. Hervirlas con poca agua o cocinarlas al vapor.

2)  Añadir a las zanahorias ya cocidas la Soya Cuisine, los huevos, la sal y la pimienta; mezclarlo todo en el *Minipimer*.

3)  Verter en un molde untado de mantequilla. Poner en el microondas durante 15 minutos a máxima potencia o 45 minutos al baño María en el horno.

4)  Para elaborar aceite de albahaca, deshojar la albahaca, cubrirla con aceite y triturarlo muy bien en el *Minipimer*.

5)  Desmoldar el flan. Verter sobre cada trozo un poco de aceite de albahaca.

6)  Adornarlo con cebollino.

## Trucos

La Soya Cuisine es un preparado de soja que encontrarás en las tiendas de dietética. Se puede sustituir por crema de leche o nata líquida, empleando la misma cantidad.

Para el microondas va muy mal que elijas un cuenco clásico redondo, ya que las ondas no llegan al centro y queda medio crudo.

Puedes sustituir el aceite de albahaca por bechamel clarita, salsa pesto o salsa de setas.

### VALORACIÓN NUTRICIONAL
(1 COMENSAL)

**Energía:** 237,33 kcal

**Proteínas totales:** 7,17 g

**Lípidos totales:** 15,75 g

(Ácidos grasos saturados: 2,95 g)

**Glúcidos:** 16,73 g

apta para celíacos
ovolacteo-vegetariano

# Guisantes estofados

Ingredientes

500 g de guisantes baby
congelados
100 g de chistorra
2 cebollas
3 cucharadas de aceite de oliva

## Preparación

1) Picar la cebolla y cortar la chistorra.
2) En un recipiente apto para microondas colocar la cebolla tapada con un chorro de aceite; programar el microondas 4 minutos a máxima potencia. A continuación, añadir la chistorra y ponerlo 2 minutos más.
3) Incorporar los guisantes, taparlos e introducirlos en el microondas durante 5 minutos a máxima potencia. Remover y volver a introducirlo 4 minutos más.
4) Salar al gusto y servir en una cazuela de barro.

## Trucos

Si prefieres hacerlo al fuego, sofríe la cebolla hasta que quede dorada, añade la chistorra y los guisantes, cúbrelos con agua y cocínalos unos 20 minutos o hasta que veas que los guisantes están tiernos.
Puedes sustituir la chistorra por beicon, o simplemente hacerlos con cebolla sola.

¿SABÍAS QUE...?
El valor calórico de los guisantes, debido a su gran contenido en agua, es muy escaso. Pero en cambio, constituyen un auténtico «almacén» de vitaminas, minerales, hierro, calcio y polifenoles, ampliamente estudiados como antioxidantes naturales para la prevención del envejecimiento tanto celular como cutáneo.

**VALORACIÓN NUTRICIONAL**
(1 COMENSAL)
Energía: 295,29 kcal
Proteínas totales: 12,16 g
Lípidos totales: 19,62 g
(Ácidos grasos saturados: 6,06 g)
Glúcidos: 17,52 g

arta para celíacos

ovolacteo-vegetariano

# Judías con queso

**5**

Ingredientes

500 g de judías verdes

50 g de queso emmental rallado

50 g de queso parmesano rallado

1 diente de ajo

2 cucharadas de aceite de oliva

Pimienta negra

## VALORACIÓN NUTRICIONAL

(1 COMENSAL)

Energía: 167,63 kcal

Proteínas totales: 10,29 g

Lípidos totales: 11,90 g

(Ácidos grasos saturados: 4,94 g)

Glúcidos: 4,85 g

### ¿SABÍAS QUE...?

Las judías, además de aportar muy pocas calorías, son fuente de fibra, vitamina K y vitamina B12, siendo ésta muy importante en el metabolismo de los azúcares, grasas y proteínas, por lo que participa en el equilibrio nutricional.

## Preparación

1) Cortar las judías longitudinalmente en dos. Hervirlas en agua con sal; echarlas cuando el agua esté burbujeante, nunca con el agua fría. Transcurridos de 12 a 14 minutos escurrir las judías y pasarlas por agua muy fría. Quedarán preciosas, de un color verde intenso.

2) Poner en una sartén el aceite y el ajo laminado y, cuando esté el ajo dorado, añadir las judías. Verter el queso por encima y revolver. Salpimentar.

3) Servir muy caliente.

## Trucos

Puedes variar esta receta cambiando el queso por berberechos en lata, queda buenísimo.

Si tu hijo se cierra en banda y rechaza comer judías, pregúntale; ya verás como en el cole se las come sin discutir. Eso significa que está probándote, y si le cambias el plato y le pones otra cosa la has fastidiado. Convéncele y no dejes que se levante de la mesa sin, como mínimo, probarlo. Lo más seguro es que entonces le encante.

30 | 1 a 3 | apta para celíacos | sin lactosa

# Tortilla sin huevo

**5**

### Ingredientes

350 g de patatas

60 g de beicon ahumado

3 dientes de ajo

1/2 col

3 cucharadas de aceite de oliva

## Preparación

1) Cortar el beicon a trocitos; pelar las patatas y cortarlas a trozos. Hervir la col y la patata, escurrirlas y chafarlas con un tenedor.

2) En una sartén freír con 1 cucharada de aceite el beicon; cuando se empiece a hacer y haya soltado mucha grasa, añadir el ajo. Apagar el fuego cuando este último esté dorado.

3) Fuera del fuego añadir la col y la patata a la mezcla de beicon y ajo, salpimentar y remover bien. Poner en la sartén dos cucharadas de aceite y, cuando esté muy caliente, echar la mezcla. Tiene que quedar muy parecido a una tortilla de patatas.

4) Girarlo cuando se vea que está dorado de la misma manera que la tortilla española. Servir.

## Trucos

Quizás, te parezca un poco raro, pero a casi todos los niños y no tan niños les encanta este plato; si son maniáticos, no les digas que está hecho con col. También lo puedes hacer con coliflor.

---

**VALORACIÓN NUTRICIONAL**

(1 COMENSAL)

Energía: 156,49 kcal

Proteínas totales: 6,84 g

Lípidos totales: 8,50 g

(Ácidos grasos saturados: 1,77 g)

Glúcidos: 13,16 g

# Quiche lorraine especial de pavo y queso

**Ingredientes**

175 g de fiambre de pavo 99% libre de grasa

500 g de coliflor

175 g de queso emmental

75 g de queso parmesano rallado

150 g de requesón

1 hoja (230 g) de pasta brisa

2 cebollas

2 huevos

## Preparación

1) Cortar la coliflor en ramitas y la cebolla a cuadros. Cocinar al vapor ambos ingredientes.

2) En el *Minipimer* y con un poco de leche, triturar las verduras, el requesón, 50 gramos de parmesano rallado y los huevos. Salpimentar. Así se obtiene la «bechamel secreta».

3) Poner la pasta brisa en un molde y hornearla cubierta con papel de plata 10 minutos a 200 °C.

4) Retirarlo del horno, sacar el papel de plata y verter una capa de bechamel secreta, después poner una capa de pavo y emmental; así sucesivamente para acabar con bechamel y queso rallado.

5) Hornearlo a 180 °C hasta que al pincharlo con el cuchillo, éste salga limpio.

## Trucos

Si tienes la *Thermomix*, haz la masa brisa como se explica en el libro. Para realizar la bechamel secreta corta la cebolla unos segundos a velocidad 5 y parte la coliflor con la mano a «flores» grandes. Coloca la cebolla 20 minutos a temperatura varoma, velocidad 2. En el vaso mezcla las verduras con los quesos y un poco de leche 4 minutos a velocidad 5-7-9, o hasta que la mezcla quede bien fina; agrega los huevos y programa medio minuto más a velocidad 5. Rectifica de sal. Monta la quiche como se explica en la receta.

**VALORACIÓN NUTRICIONAL**

(1 COMENSAL)

Energía: 241,04 kcal

Proteínas totales: 12,53 g

Lípidos totales: 18,79 g

(Ácidos grasos saturados: 9,23 g)

Glúcidos: 5,47 g

15

# Ensalada de restaurante

### Ingredientes

100 g de espinacas frescas
«de bolsa»

80 g de jamón serrano

80 g de queso de cabra

1/2 lata de maíz

1/2 bolsa de picatostes

3 cucharadas de aceite de oliva

## VALORACIÓN NUTRICIONAL

(1 COMENSAL)

Energía: 300,83 kcal

Proteínas totales: 14,58 g

Lípidos totales: 20,18 g

(Ácidos grasos saturados: 7,72 g)

Glúcidos: 15,23 g

## ¿SABÍAS QUE...?

Al comer las espinacas crudas es realmente cuando aprovechamos todos los minerales y las vitaminas, ya que siempre se pierden propiedades durante la cocción de los alimentos.

## Preparación

1) Retirar la piel del queso y desmigarlo con las manos. Cortar en tiritas finas el jamón serrano.

2) En una fuente, o directamente en los platos, alternar capas de espinacas, jamón, queso y maíz.

3) Justo antes de servir poner los picatostes, el aceite y la sal.

## Trucos

Aunque creas que las espinacas crudas no les van a gustar a los niños, son mucho más buenas que la lechuga, y mi experiencia es que las prefieren. Yo siempre compro las que venden en el supermercado, ya limpias y preparadas. Haz sentir importantes a los niños diciéndoles que les preparas la misma ensalada que sus padres eligen cuando van a cenar fuera. El *quid* de la cuestión son los picatostes, les chiflan. También puedes añadir piñones. Si no encuentras queso de cabra, cámbialo por el que te parezca que más ilusión les puede hacer. Si le añades a cada plato un huevo duro, tendrás un plato único.

30  arta rara celíacos  ovolacteo-vegetariano

# Cestitos de *mozzarella*

**Ingredientes**

2 zanahorias

2 tomates

1 rama de apio

1 calabacín

1 cebolla tierna

1 limón

1 diente de ajo

2 bolas de queso *mozzarella*

6 cucharadas de aceite de oliva

1 cucharada de albahaca picada

## Preparación

1) Limpiar y cortar a dados pequeños la zanahoria, el apio, el calabacín pelado, los tomates y la cebolla.

2) Picar el ajo muy pequeñito y mezclarlo con la albahaca, las hortalizas y un chorro de aceite. Dejar macerar al menos una hora; salpimentar.

3) Partir las bolas de *mozzarella* de forma transversal, vaciarlas un poco con la ayuda de una cuchara y rellenarlas con las hortalizas.

## Trucos

El calabacín crudo es buenísimo, aunque no tengamos costumbre de comerlo así.

Varía el relleno en función de los gustos de tu casa, aunque es aconsejable añadir algún sabor diferente. No hay que perder oportunidades para darles a los niños sabores nuevos.

La *mozzarella* a la que nos referimos es la fresca, que se encuentra en la zona de refrigerados del supermercado, en bolsas de plástico.

Si no tienes albahaca puedes sustituirla por orégano, tomillo, una cucharada de salsa pesto o simplemente no poner nada.

Si te da pereza cortar las verduritas puedes rallar la zanahoria y el calabacín, acabarás antes.

Si tienes *Thermomix* «córtalas» muy poco a velocidad 4.

**VALORACIÓN NUTRICIONAL**

(1 COMENSAL)

**Energía:** 359,02 kcal

**Proteínas totales:** 16,37 g

**Lípidos totales:** 28,26 g

(Ácidos grasos saturados: 10,43 g)

**Glúcidos:** 9,79 g

# Ensalada de tomate

**Ingredientes**

100 g de lentejas hervidas

4 lonchas de queso manchego

6 tomates

1 cucharadita de olivada

3 cucharadas de aceite de oliva

## Preparación

1) Cortar el queso a rectángulos pequeños. Pelar los tomates y trocearlos a dados.

2) Mezclar el queso con el tomate y las lentejas. Aliñarlo con la mezcla de olivada y aceite.

3) Guardarlo en la nevera y salarlo justo antes de servir, ya que el tomate suelta mucha agua cuando se le pone sal.

## Trucos

La olivada es fácil de encontrar en los supermecados, también encontrarás cómo hacerlo en la receta «Pajaritas con aceitunas, anchoas y tomillo» (pág. 107). Si a los niños no les entusiasma el tomate, les gustará mucho más pelado. El tomate es otro de los alimentos que siempre les dan en el cole y se lo comen sin rechistar, ¡no dejes que te tomen el pelo! Puedes sustituir el queso por el que más les guste, cambiarlo por atún o sencillamente mezclar tomate con lentejas y nada más.

**VALORACIÓN NUTRICIONAL**

(1 COMENSAL)

Energía: 336,26 kcal

Proteínas totales: 18 g

Lípidos totales: 24,83 g

(Ácidos grasos saturados: 11,53 g)

Glúcidos: 10,21 g

**¿SABÍAS QUE...?**
Todos los ingredientes de esta receta aportan mucha fibra, vitaminas y calcio, imprescindibles tanto en el embarazo como en las primeras etapas de crecimiento y de la adolescencia.

# La comida de los cinco colores

**6**

### Ingredientes

2 tazas de arroz hervido

1 taza de aceitunas rellenas

1 taza de queso emmental rallado

1 taza de zanahoria rallada

1 lata de atún

2 tomates

1/4 de lechuga

1/4 de pimiento

4 cucharadas de mayonesa

## Preparación

1) Cortar a dados o rodajas los tomates y el pimiento, y las aceitunas a aros.

2) Colocar cada alimento por separado en diferentes cuencos o vasitos.

3) La comida consiste en que el niño tiene que servirse alimentos de cinco colores diferentes, eligiendo él la cantidad.

## Trucos

Podemos variarlo como queramos pero siempre vigilando que para completar los cinco colores tenga que servirse algo que no le entusiasme, así conseguiremos que lo pruebe y vaya rompiendo tabúes.

En el ejemplo que hemos puesto, el arroz, el queso rallado y la mayonesa son del mismo color, aunque sean tres alimentos distintos.

### VALORACIÓN NUTRICIONAL

(1 COMENSAL)

**Energía:** 359,46 kcal

**Proteínas totales:** 11,01 g

**Lípidos totales:** 28,12 g

(Ácidos grasos saturados: 5,97 g)

**Glúcidos:** 15,60 g

apta para celíacos  sin lactosa  vegetariano

# Ensalada de manzana y nuez

**Ingredientes**

1 aguacate

50 g de lechuga

50 g de nueces

2 manzanas

3 cucharadas de miel

3 cucharadas de aceite

3 cucharadas de zumo de limón

Pimienta negra

## Preparación

1) Pelar las manzanas y cortarlas a cuadraditos. Partir las nueces y reservar 4 para decorar.

2) Hacer el aliño francés: mezclar el jugo de limón con sal, pimienta, una cucharada de miel y tres cucharadas de aceite.

3) Cortar un aguacate a dados y mezclarlo con la manzana y la lechuga. Aliñar.

## Trucos

Al tener limón el aliño, conseguimos que no se vuelvan negros ni el aguacate ni la manzana. Si a tu hijo no le gusta el aguacate, prescinde de él.

### ¿SABÍAS QUE...?

Todos los estudios actuales apuntan que el consumo habitual de fruta fresca y frutos secos actúa como preventivo de diferentes tipos de cáncer, especialmente del tracto digestivo y los relacionados con las hormonas, además de disminuir el riesgo de sufrir enfermedades cardiovasculares, una de las primeras causas de muerte en Occidente.

### VALORACIÓN NUTRICIONAL

(1 COMENSAL)

**Energía:** 198,48 kcal

**Proteínas totales:** 2,79 g

**Lípidos totales:** 12,25 g

(Ácidos grasos totales: 1,59 g)

**Glúcidos:** 19,05 g

# SEGUNDOS PLATOS

Carnes, pescados y huevos en todas sus formas.
Ideas sencillas para que los niños aprendan a apreciar todos los sabores.

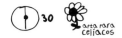 
# Atadillos de pollo con membrillo y salsa dos quesos

**5**

### Ingredientes

4 tazas de café de arroz hervido

8 contramuslos de pollo deshuesados y sin piel

75 g de dulce de membrillo

100 g de queso fresco

50 g de queso emmental rallado

1 pieza de jengibre

1 chorrito de leche

1 puerro

Pimienta negra

## Preparación

1) Mezclar en un cuenco el membrillo con el jengibre rallado y la pimienta.

2) Salar los contramuslos y rellenarlos untando el membrillo como si se tratara de paté.

3) Lavar 2 o 3 hojas de puerro, introducirlas en una bolsa de plástico y cocinarlas 1 minuto en el microondas a máxima potencia. Cortarlas con los dedos en cintas de un centímetro de ancho, que se utilizarán para atar los contramuslos en vez de hilo de bramante.

4) Hacer la salsa de queso: con el *Minipimer* mezclar los dos quesos e ir añadiendo la leche, hasta obtener la textura deseada.

5) Dorar en la sartén los atadillos y acabarlos de hacer a fuego lento tapándolos, para que no se queden crudos en el centro (será aproximadamente unos 8 o 10 minutos).

6) Servir los contramuslos con la salsa, el arroz y una ramita de romero fresco para decorar.

## Trucos

Si no dispones de jengibre, prescinde de él. Al dorar el pollo verás que se sale una parte del relleno, no importa ya que el membrillo se carameliza y queda una salsa fantástica. Aunque no te guste mucho el membrillo, a este plato le da un toque dulce muy bueno.

### VALORACIÓN NUTRICIONAL

(1 COMENSAL)

**Energía:** 391,42 kcal

**Proteínas totales:** 35,29 g

**Lípidos totales:** 14,73 g

(Ácidos grasos saturados: 7,13 g)

**Glúcidos:** 29,81g

30

# Hamburguesas de pollo

**Ingredientes**

500 g de carne picada de pollo

50 g de tomates cherry

50 g de canónigo

1/2 calabacín

1/2 zanahoria

1 clara de huevo

5 cucharadas de harina
de trigo refinada

4 cucharadas de aceite de oliva

## Preparación

1) Pelar el calabacín y la zanahoria, y rallarlos muy finos. Cocinar en el microondas a máxima potencia durante 2 minutos las verduras, con una cucharadita de aceite y en un recipiente con tapa. Dejarlas entibiar.

2) Mezclar el pollo con las verduras y añadirles la clara de huevo. Salpimentar.

3) Disponer la harina en un plato llano, hacer las hamburguesas y pasarlas por harina.

4) Poner 4 cucharadas de aceite en la sartén y cocinar las hamburguesas. Servir rodeadas de canónigo y tomates cherry.

## Trucos

Esta receta gusta mucho a toda la familia.

Pide en la pollería que la carne picada sea la mitad de pata y la otra mitad de pechuga, para que resulte más jugosa.

Puedes hacer hamburguesas de más y congelarlas.

**¿SABíAS QUE...?**
Este plato es una manera de tomar unas hamburguesas con poca grasa, ya que el pollo no tiene, las verduras mucho menos y la clara de huevo contiene proteínas de gran calidad biológica.

**VALORACIÓN NUTRICIONAL**

(1 COMENSAL)

**Energía:** 234,02 kcal

**Proteínas totales:** 21,80 g

**Lípidos totales:** 9,67 g

(Ácidos grasos saturados: 1,90 g)

**Glúcidos:** 14,94 g

# Pollo de Cachemira con arroz

**5**

### Ingredientes

1 pollo cortado a octavos

150 g de arroz

1 cebolla

1 yogur natural

1 diente de ajo

1 cucharadita de canela

1 dado de jengibre

1 cucharada de pimentón

1 cucharada de vinagre de Módena

2 cucharadas de salsa de soja

50 cl de aceite de oliva

250 cl de agua

10 bolas de pimienta negra

## Preparación para la *Thermomix*

1) En el vaso de la *Thermomix* rallar a velocidad 4 el ajo y el jengibre pelados. Añadir la cebolla cortándola a velocidad 4 unos segundos. Agregar la soja, el vinagre, la pimienta, el aceite y la canela y programar 9 minutos a varoma, velocidad 1.

2) En moldes de flan metálicos poner 30 gramos de arroz, 50 mililitros de agua y un chorrito de aceite por molde. Taparlos con papel de plata y colocarlos en el recipiente varoma.

3) Añadir el pollo, el yogur y el pimentón al vaso y programar 20 minutos a varoma, velocidad 1, giro a la izquierda.

4) Pasados los 20 minutos desmoldar los flanecitos y servirlos con el pollo.

## Trucos

Si tienes la TH-21, coloca la mariposa antes de poner el pollo en el vaso.

No prescindas del pimentón, le da muy buen color y sabor.

Es muy cómodo obtener a la vez el arroz para el acompañamiento y el plato principal. Los moldecitos para arroz son los típicos desechables de flan que puedes encontrar en cualquier supermercado.

### VALORACIÓN NUTRICIONAL

(1 COMENSAL)

**Energía:** 482,41 kcal

**Proteínas totales:** 41,22 g

**Lípidos totales:** 20,21 g

(Ácidos grasos saturados: 4,33 g)

**Glúcidos:** 33,90 g

# Pechuga de pavo a la salsa Perrins

### Ingredientes

1 pechuga de pavo

100 g de lechugas variadas

75 g de tomates cherry

1/2 copa de salsa Perrins

1/2 copa (100 ml) + 2 cucharadas
de aceite de oliva

## VALORACIÓN NUTRICIONAL

(1 COMENSAL)

Energía: 236,70 kcal

Proteínas totales: 7,35 g

Lípidos totales: 22,55 g

(Ácidos grasos saturados: 2,99 g)

Glúcidos: 1,09 g

## ¿SABÍAS QUE...?

El pavo es una carne con poca cantidad de grasa saturada, por lo que es más sano que la carne roja. Este plato está indicado para las personas que les gusta la carne roja, porque gracias a la salsa Perrins recuerda mucho al *roastbeef*, aunque este es más ligero.

## Preparación

1) Salpimentar la pechuga de pavo y dejarla 1 hora antes de cocinarla con el siguiente adobo: media copa de aceite y media de salsa Perrins.

2) En una sartén con las dos cucharadas de aceite, dorar la pechuga por ambos lados, añadiendo el adobo en el último momento.

3) Una vez dorada la pechuga, ponerla 4 minutos en el microondas con el adobo, a máxima potencia; pasado ese tiempo girarla y volver a programar 3 minutos más.

4) Dejar reposar la pechuga al menos 15 minutos antes de servirla, ya que si no parecerá que está cruda, pero en realidad sólo necesita un tiempo de reposo para que acabe de hacerse. Si se pone más minutos quedará seca.

5) Cortar la pechuga a lonchas de 3 milímetros de ancho, verter la salsa resultante muy caliente por encima. Acompañarla con los tomates y el buqué de lechugas.

## Trucos

También puedes variar poniendo salsa de soja en vez de salsa Perrins.

En la receta hemos puesto pechuga de pavo porque es más fácil de encontrar, aunque la pechuga de hembra suele ser más tierna.

La pechuga ha de ser, por supuesto, entera.

# Albóndigas con gambas

**5**

### Ingredientes

550 g de carne picada de ternera

200 g de gambas peladas
pequeñas

4 gambas rojas congeladas

1 huevo

1 pastilla de caldo de pescado

1 cucharada de perejil picado

1 cucharada de maicena

1 cucharada de jerez

1 chorrito de leche

3 cucharadas de aceite de oliva

60 g de harina de trigo refinada

Miga de pan

## Preparación

1) Mezclar la carne picada, el huevo, el perejil
   y la miga de pan empapada en leche y
   escurrida.

2) Salpimentar y hacer albóndigas con la masa.
   Enharinarlas.

3) Freír las gambas rojas en una cazuela
   de barro. Retirarlas. En el mismo aceite, freír
   las albóndigas.

4) Pelar las gambas. Triturar las pieles y las cabezas
   junto con 200 mililitros de agua caliente
   y la pastilla de caldo.

5) Colar el líquido con un colador de malla fina
   y verterlo sobre las albóndigas. Dejar la cazuela
   haciendo «chup chup» unos 10 minutos.

6) Poner las gambitas, el jerez, la maicena disuelta
   en un poquito de agua fría y el perejil,
   y cocerlo 4 o 5 minutos más.

7) Se puede servir acompañado de moldes
   de arroz blanco hervido, o pasta rizada.

## Trucos

Hay que tener cuidado con las gambas peladas,
ya que enseguida se pasan y quedan secas.
Este plato está más bueno al día siguiente de su
elaboración.

### VALORACIÓN NUTRICIONAL

(1 COMENSAL)

**Energía:** 374,04 kcal

**Proteínas totales:** 20,77 g

**Lípidos totales:** 28,10 g

(Ácidos grasos saturados: 9,06 g)

**Glúcidos:** 9,52 g

# Lomo con leche

**5**

Ingredientes

800 g de lomo de cerdo
en una pieza

1 botellín de crema de leche

3 cucharadas de aceite de oliva

Pimienta negra molida al gusto

### VALORACIÓN NUTRICIONAL

(1 COMENSAL)

Energía: 373,35 kcal

Proteínas totales: 29,80 g

Lípidos totales: 27,47 g

(Ácidos grasos saturados: 5,77 g)

Glúcidos: 1,36 g

## ¿SABÍAS QUE...?

La carne de cerdo destaca por su aportación proteica, tanto en calidad como en cantidad. La presencia de fósforo, magnesio, potasio, hierro y cinc hace que también sea una gran fuente de minerales. Y entre las vitaminas destaca la niacina, la folacina y la vitamina B12.

## Preparación

1) Poner sal y pimienta al lomo. Dorarlo por ambos lados con 3 cucharadas de aceite. Ponerlo en una fuente que quepa en el microondas y tenga un reborde de unos 3 o 4 centímetros.

2) Echarle la crema de leche y ponerlo en el microondas sin taparlo, a máxima potencia, y durante 12 minutos.

3) Se pueden añadir almendras tostadas y picadas.

4) Cuando esté hecho, la salsa de crema de leche estará cortada.

5) Esperar a que el lomo esté tibio, o mejor frío, para cortarlo y ponerlo en una fuente alargada. Echar un poco de la salsa por encima y servir el resto en una salsera.

## Trucos

Este plato es muy fácil de elaborar y tiene mucho éxito.

Déjalo reposar antes de cortarlo, así se acaba de cocer. Si lo pones mucho tiempo en el microondas te quedará seco.

# Lomo a la *papillote*

**5**

Ingredientes

1 kg de lomo de cerdo
en una pieza

1 zanahoria rallada

4 cucharadas de mayonesa

## Preparación

1) Precalentar el horno a 180 ºC. Envolver el lomo en papel de aluminio y ponerlo a cocinar durante 35 o 40 minutos.

2) Sacarlo del horno, desenvolverlo y cortarlo en rodajas finas; servirlo acompañado de mayonesa y zanahoria rallada.

## Trucos

Este lomo queda de color blanquecino, pero muy tierno, ya que se cocina en su propio jugo; es bueno caliente o frío como si fuera un fiambre. Añádele a la receta unas patatas hervidas, arroz blanco o pasta y obtendrás un plato completo.

### VALORACIÓN NUTRICIONAL

(1 COMENSAL)

**Energía:** 469,09 kcal

**Proteínas totales:** 36,58 g

**Lípidos totales:** 35,24 g

(Ácidos grasos saturados: 9,13 g)

**Glúcidos:** 1,41 g

### ¿SABÍAS QUE...?

El contenido en colesterol en el músculo del cerdo oscila entre los 50-70 mg por cada 100 g, que contrastan con los 70-80 mg que contiene la carne de ternera y de pollo, animales que se consideran de consumo más saludable.

# Terrina de ternera

**Ingredientes**

800 g de carne picada de ternera

20 g de mantequilla

100 g de aceitunas rellenas

1 pimiento morrón

100 ml de leche

2 rebanadas de pan

2 cucharadas de pan rallado

2 huevos

3 cucharadas de jerez

3 cucharadas de aceite de oliva

Pimienta negra al gusto

## Preparación

1) Mezclar la carne con la rebanada de pan puesta en remojo con leche y escurrida, los huevos, el aceite, el jerez, la sal y la pimienta.

2) Añadir a esta mezcla el pimiento picado y las aceitunas rellenas también picadas. Mezclar todo bien.

3) Colocar la mezcla en un molde de *cake* untado con mantequilla, espolvorear por encima con pan rallado e introducir en el microondas a máxima potencia durante 5 minutos. Dejar reposar 1 minuto y volver a poner en el microondas 5 minutos más.

4) Sacar del molde y servir tibio o frío. Si se quiere se puede acompañar con mayonesa, salsa de tomate o ensalada.

## Trucos

Si no les gusta el pimiento puedes no ponerlo. Te resultará más fácil y queda mejor si lo amasas con las manos. Lo puedes hacer con dos días de antelación tranquilamente. Tiene muchas aplicaciones, por ejemplo, dentro de un bocadillo, a modo de embutido.

### VALORACIÓN NUTRICIONAL

(1 COMENSAL)

**Energía:** 592,95 kcal

**Proteínas totales:** 21,94 g

**Lípidos totales:** : 51,19 g

(Ácidos grasos saturados: 18,19 g)

**Glúcidos:** 11,11 g

30   sin lactosa

# Redondo de carne picada

**5**

### Ingredientes

350 g de carne
de cerdo picada

350 g de carne
de ternera picada

2 zanahorias

2 cebollas

1 huevo

3 cucharadas de harina de trigo

1 chorro de aceite de oliva

1/2 taza de café de vino de jerez

Pimienta negra al gusto

## Preparación

1) Pelar y cortar las cebollas a octavos y las zanahorias en rodajas gruesas de un centímetro. Rociarlas con una cucharada de aceite y ponerlas tapadas en el microondas, durante 4 minutos a máxima potencia.

2) Mezclar los dos tipos de carne picada con el huevo, salpimentar y formar un rollo de carne. Enharinarlo y dorarlo en una sartén ancha con 5 cucharadas de aceite a fuego muy fuerte, para que forme una costra crujiente.

3) Colocar en la sartén, alrededor de la carne, las verduras que hemos cocido en el microondas y bajar el fuego. Tapar la sartén y cocinarlo unos 10 minutos de un lado, girarlo, añadir un poco de vino de jerez (media tacita de café) y cocinarlo 8 o 10 minutos más, también a fuego lento.

4) Dejar reposar. Se puede servir en la mesa cortado en rodajas de un centímetro de grosor.

## Trucos

Dorar la carne sirve para que se selle y quede jugosa. Al tapar la sartén y poner el fuego muy bajito, creamos un «efecto horno», con lo que conseguimos que se cueza por dentro.
Podemos hacer la misma receta con solomillo o cinta de lomo.

### VALORACIÓN NUTRICIONAL

(1 COMENSAL)

**Energía:** 415,24 kcal

**Proteínas totales:** 26,65 g

**Lípidos totales:** 29,25 g

(Ácidos grasos saturados: 9,96 g)

**Glúcidos:** 11,35 g

# Albóndigas de atún

 **6**

### Ingredientes

450 g de atún fresco

70 g de atún en conserva

75 g de judías blancas hervidas

70 g de harina de trigo

100 ml de leche

2 rebanadas de pan

6 cucharadas de salsa de tomate

6 cucharadas de aceite de oliva

## Preparación

1) En una picadora poner el atún fresco, el atún en conserva y las judías. Picarlo todo.

2) Poner en remojo el pan con la leche, escurrirlo y añadirlo a la masa anterior. Salpimentar.

3) Hacer las albóndigas o darles la forma deseada, enharinar y freír en la sartén con 6 cucharadas de aceite. Servir con salsa de tomate.

4) Si se prefieren sin salsa, servir con lechuga y tomates cherry o bien dentro de pitas o en un panecillo, como si fuera una hamburguesa tradicional.

## Trucos

Este plato va muy bien para los niños que son muy «antipescado», ya que el atún tiene una consistencia y sabor más fuerte.

### ¿SABÍAS QUE...?

El atún es un pescado considerado semigraso (su proporción de lípidos oscila entre el 5% y el 10%), que aporta mucha energía (200 kcal cada 100 g) y vitaminas A, E, K y del grupo B, además de ácidos grasos poliinsaturados de la familia omega-3, muy importantes en la prevención y el tratamiento de enfermedades cardiovasculares.

### VALORACIÓN NUTRICIONAL

(1 COMENSAL)

Energía: 304,40 kcal

Proteínas totales: 23,54 g

Lípidos totales: 14,48 g

(Ácidos grasos saturados: 2,64 g)

Glúcidos: 19,98 g

# Albóndigas marineras con almejas

### Ingredientes

300 g de almejas

500 g de perca

1 tomate

1 cebolla

2 dientes de ajo

2 rebanadas de pan

1 pizca de harina de trigo

1 clara de huevo

1 copa de vino blanco

Perejil

## VALORACIÓN NUTRICIONAL

(1 COMENSAL)

**Energía:** 193,97 kcal

**Proteínas totales:** 32,32 g

**Lípidos totales:** 2,04 g

(Ácidos grasos saturados: 0,41 g)

**Glúcidos:** 11,59 g

### ¿SABÍAS QUE...?

Las almejas son ligeras y muy nutritivas, con bajo contenido en grasas y muy ricas en proteínas, pero contienen ácido úrico, por lo que se recomienda un consumo responsable en personas con problemas de hiperuricemia (gota).

## Preparación

1) Comprar la perca ya en filetes.
Ponerla en el microondas 4 minutos, a máxima potencia, con un chorrito de aceite; quedará medio cocida. Desmigarla en trozos gruesos.

2) Dejar las almejas en agua y sal durante una hora aproximadamente para sacar la arena.

3) Mojar el pan con leche y desmigarlo. Agregarlo a la perca y, juntamente con un diente de ajo trinchado, la clara de huevo y un poco de perejil picado. Formar una masa y hacer pequeñas albóndigas.

4) Enharinar las albóndigas y freírlas. Reservar.

5) En una sartén con un poco de aceite poner el ajo restante trinchado, la cebolla rallada y, una vez hecha, añadir el tomate también rallado. Cocinarlo 10 minutos.

6) Agregar las almejas y el vino blanco. Taparlo. Cuando las almejas se abran, apagar el fuego.

7) Verter bien caliente la salsa anterior sobre las albóndigas. También se pueden preparar sólo las albóndigas, sin añadir la salsa.

## Trucos

Quedan muy jugosas porque el pescado no está triturado. También puedes cortarlo pequeñito en crudo, pero nunca pases el pescado por la picadora o el *Minipimer*.

30  1 a 3 sin lactosa

# Hamburguesas de pescado blanco con pasta fresca

**5**

### Ingredientes

600 g de merluza

1 caja de *tagliatelle*

1 clara de huevo

1 zanahoria

1/2 calabacín

4 cucharadas de queso rallado

6 cucharadas de aceite de oliva

1 cucharadita de orégano

1 taza de harina de trigo refinada

## Preparación

1) Rallar las verduras finamente.

2) Cocer el pescado poquísimo, lo justo para poder separar cómodamente la piel y las espinas. Se puede hacer al vapor o en el microondas. (Si se hace en el microondas unos 3 o 4 minutos, a máxima potencia.)

3) Desmigar el pescado y mezclarlo con las verduras, que aunque crudas, al estar ralladas tan finas, casi no necesitan cocción; añadir la clara de huevo y salpimentar.

4) Enharinar y freír en la sartén. Servir las hamburguesas acompañadas de la pasta fresca con queso rallado.

## Trucos

También lo puedes hacer con filetes de merluza congelada sin piel ni espinas.

Puedes preparar las hamburguesas con antelación y congelarlas si las has hecho con pescado fresco.

No te extrañe que la masa de las hamburguesas quede muy «flojucha». Al freírlas se compactará.

### VALORACIÓN NUTRICIONAL

(1 COMENSAL)

**Energía:** 508,91 kcal

**Proteínas totales:** 34,31 g

**Lípidos totales:** 17,22 g

(Ácidos grasos saturados: 3,77 g)

**Glúcidos:** 54,18 g

sin lactosa

# Boquerones albardados

### Ingredientes

500 g de boquerones

100 g de harina de trigo

1 huevo

2 patatas

1 cucharadita de orégano

1 taza de sal

Aceite de oliva

---

**VALORACIÓN NUTRICIONAL**

(1 COMENSAL)

**Energía:** 410,46 kcal

**Proteínas totales:** 31,32 g

**Lípidos totales:** 17,81 g

(Ácidos grasos saturados: 3,59 g)

**Glúcidos:** 31,24 g

---

**¿SABÍAS QUE...?**

El contenido en grasa del boquerón supera el 10% y puede llegaral 25%. Gracias a este tipo de grasa, rica en ácidos grasos poliinsaturados de la familia omega-3, el boquerón tiene propiedades preventivas de enfermedades cardiovasculares.

## Preparación

1) Lavar las patatas y, sin secarlas, rebozarlas en sal. Pincharlas e introducirlas en el microondas a máxima potencia durante unos 6 minutos aproximadamente. Pincharlas para comprobar si el corazón de la patata está cocido. Reservar.

2) Limpiar los boquerones sacándoles la cabeza y la espina central, es decir, dejándolos como un libro, y salarlos.

3) Batir el huevo en un plato hondo y poner la harina en un plato llano. Escoger una sartén pequeña y poner un dedo y medio de aceite.

4) Pasar los boquerones por harina, después por el huevo y echarlos rápidamente a freír en el aceite caliente; girarlos y cuando estén dorados sacarlos y ponerlos encima de papel absorbente.

5) Quitar la sal de las patatas con las manos, partirlas en dados y aliñarlas con aceite y orégano; servirlas con los boquerones.

## Trucos

Lo difícil de este plato es que llegue a la mesa, ya que los boquerones son tan apetitosos que cada persona que pasa por la cocina se va comiendo uno. El truco para que queden bien es pasarlos por huevo y al segundo freírlos, así conseguimos que se hinchen.

# Bocata de merluza

**Ingredientes**

8 lomos de merluza

200 g de arroz hervido

4 lonchas de jamón york

4 rodajas de queso camembert

4 lonchas de queso

manchego semicurado

2 tomates

3 cucharadas de cebollino picado

1 chorrito de vino blanco

## Preparación

1) Pelar el tomate y cortarlo a dados, aliñarlo con aceite.

2) Colocar encima de un lomo de merluza una loncha de manchego, una de camembert y una de jamón york. Cubrir con el otro lomo, en forma de bocata. Hacer lo mismo con los demás lomos.

3) Poner el pescado en una fuente de microondas y rociarlos con el vino blanco y un poco de sal. Meterlos en el microondas durante 4 minutos a máxima potencia, o 20 minutos en el horno a 180 °C.

4) Decorar con el cebollino, o con queso rallado; servir con el tomate y el arroz al lado.

## Trucos

Van muy bien unos lomos que venden congelados en los supermercados. Otras opciones son el bacalao fresco, la perca y el lenguado.
Los niños son niños pero no tontos, y su paladar nota rápidamente el pescado de buena calidad. Puedes variar el relleno y poner jamón serrano con queso manchego.
Es muy importante que no te pases con el tiempo de cocción para que quede bueno, y es mejor que lo pongas de minuto en minuto a que te pases. El camembert se funde muy rápido, pero queda muy bien mezclado con el arroz.

**VALORACIÓN NUTRICIONAL**

(1 COMENSAL)

**Energía:** 551,50 kcal

**Proteínas totales:** 55,22 g

**Lípidos totales:** 25,5 g

(Ácidos grasos saturados: 14,24 g)

**Glúcidos:** 15,19 g

# Merluza gratinada

**5**

Ingredientes

1 merluza

1 limón

1 vaso de mayonesa
con ajo casera

**¿SABÍAS QUE...?**
La merluza, como pescado blanco que es, no tiene grasa saturada pero es rica en fósforo, potasio, hierro, vitaminas A y D y yodo (muy importante para la prevención del bocio).

## Preparación

1) Pedir al pescadero que limpie la merluza, le quite la cabeza, la espina central y la deje abierta como un librito.

2) Precalentar el horno a 180 °C. Salar el pescado y rociar con limón. Extender todo el alioli por encima de la merluza (debe quedar una capa gruesa de medio centímetro) y ponerla en el horno 10 minutos.
Si es necesario, darle un golpe de grill.

## Trucos

Queda precioso, dorado como un soufflé, y el pescado, muy jugoso.

También podemos hacer porciones, pero es importante que no tengan espinas ya que con el gratinado no se ven.

Para hacer la mayonesa pon en el pote del *Minipimer* un huevo, dos ajos pelados y aceite hasta que sobrepase 3 dedos el huevo. Bátelo a máxima potencia sin mover la batidora. Cuando veas que está cuajado puedes empezar a moverlo e ir añadiendo más aceite poco a poco, hasta que consigas la cantidad necesaria para cubrir la merluza.

Con el calor, el sabor del ajo baja mucho de intensidad.

# Pastel de pescado

**5**

### Ingredientes

800 g de merluza congelada

6 gambas rojas congleladas

2 cebollas

3 huevos

2 rebanadas de pan

100 ml de leche

1 cucharada de jerez

6 cucharadas de aceite de oliva

Aceite de girasol

## Preparación

1) Cortar la cebolla y, junto con la merluza descongelada y un chorrito de aceite, poner todo tapado en el microondas durante 4 minutos a máxima potencia; a los 2 minutos se le añade el jerez.

2) Una vez cocida la merluza, se retira y se deja la cebolla tapada en el microondas durante 5 minutos más a máxima potencia.

3) Desmenuzar el pescado añadiéndole el pan mojado en leche bien escurrido y la cebolla. Salpimientar. Incorporar 2 huevos batidos.

4) Verter en un molde engrasado y poner en el microondas a máxima potencia 6 minutos.

5) Cocinar las gambas en la sartén. Hacer una mayonesa espesa con el huevo restante y el aceite de girasol. Sofreír las gambas con aceite de oliva muy poco rato: cuando cambien de color, apagar el fuego.

6) Pelar las gambas y, en el vaso del *Minipimer*, poner las cabezas y la piel con el aceite de freírlas, chafarlo bien y pasarlo por el chino. Agregar este jugo a la mayonesa.

7) Sacar del molde, adornar con las colas de las gambas y servir cubriéndolo en el último momento con la salsa.

### VALORACIÓN NUTRICIONAL

(1 COMENSAL)

**Energía:** 427,05 kcal

**Proteínas totales:** 29,01 g

**Lípidos totales:** 31,64 g

(Ácidos grasos saturados: 4,77 g)

**Glúcidos:** 6,57 g

 30 (sin) lactosa

# Sepia con salsa de anchoas

**5**

### Ingredientes

1 kg de sepia pequeña

5 anchoas

50 g de avellanas

25 g de lechuga

2 tomates

2 patatas hervidas

2 tostadas pequeñas, tipo canapé

1 diente de ajo

4 cucharadas soperas
de aceite de oliva

## Preparación

1) Pedir al pescadero que nos limpie las sepias. Desechar la tinta y guardar la «salsa».

2) Envolver en papel de aluminio los tomates con los ajos pelados, aceite y sal. Meterlos en el horno precalentado a 180 °C. Cuando el tomate y el ajo estén cocidos, pelarlos y reservar.

3) Hacer una salsa en el *Minipimer* con el tomate, los ajos, las avellanas, las tostadas, las anchoas y un chorro de aceite.

4) Partir la bolsa de la salsa de la sepia y guardar el jugo en un vaso con 3 cucharadas de aceite de oliva. La carne que envuelve la «salsa» la haremos a la plancha.

5) Calentar mucho la sartén o la plancha, tiene que humear. No poner aceite. Añadir la sepia. cuando cambie de color darle la vuelta y verter por encima la mezcla de salsa y aceite. Pasado otro minuto, retirar. De esta manera no queda dura.

7) Servir con la ensalada o cualquier vegetal crudo y las patatas hervidas cortadas a dados.

## VALORACIÓN NUTRICIONAL

(1 COMENSAL)

**Energía:** 460,71 kcal

**Proteínas totales:** 33,59 g

**Lípidos totales:** 23,94 g

(Ácidos grasos saturados: 2,94 g)

**Glúcidos:** 27,73 g

## Trucos

Nos sobrará salsa, pero se conserva bastante tiempo en la nevera.

Si usas sepia congelada, sécala muy bien antes de hacerla a la plancha.

ovolacteo-
vegetariano

# Huevo *poché* sobre crujiente de avena

### Ingredientes

5 huevos

1 cebolla

2 tomates

100 g de requesón o queso
de Burgos

4 cucharadas de leche

6 cucharadas de aceite de oliva

2 tazas de copos de avena

1 chorrito de vinagre de sidra

---

**VALORACIÓN NUTRICIONAL**

(1 COMENSAL)

Energía: 403,14 kcal

Proteínas totales: 18,48 g

Lípidos totales: 26,18 g

(Ácidos grasos saturados: 5,68 g)

Glúcidos: 23,40 g

---

**¿SABÍAS QUE...?**

La avena tiene un alto
contenido en fibra soluble.
Además de prevenir el
estreñimiento, disminuye
la concentración de colesterol en sangre, ayudando así
a regular las hiperglucemias
de los diabéticos.

## Preparación

1) En un recipiente mezclar los copos de avena,
el requesón desmenuzado, la cebolla picada,
1 huevo batido y la leche caliente.
Añadir la sal y revolver bien.

2) Elaborar con la masa de avena unas tortitas
en forma de hamburguesa y freírlas en una
sartén con el aceite muy caliente. Dejarlas
reposar sobre papel absorbente.

3) Cortar el tomate a rodajas. En una olla
con agua hirviendo echar un chorrito de vinagre
y cascar los huevos. Recogerlos con
la espumadera cuando la clara ya esté cocida.

4) Montar el plato: sobre una tortita o dos
de avena colocar el huevo «poché» y al lado,
el tomate aliñado con un poco de aceite y sal.

## Trucos

Aunque te suene raro, esta receta es muy buena,
y puedes cambiar el huevo por lo que prefieras:
verduras, hamburguesa, pescado. La tortita
es una base que sirve para casi todo.
Hemos puesto un huevo por persona; quizá
te salgan más de cuatro tortitas, no hay problema:
fríelas todas porque están muy buenas.
Esta receta es muy completa; si tienes invitados ralla
encima del huevo un poco de trufa y te quedará
un plato muy sofisticado.

# Huevo mágico sobre espinacas y salsa de tomate

### Ingredientes

500 g de espinacas con puré
de patatas

4 huevos

8 cucharadas de salsa
de tomate

---

**VALORACIÓN NUTRICIONAL**

(1 COMENSAL)

Energía: 239,63 kcal

Proteínas totales: 19,68 g

Lípidos totales: 18,08 g

(Ácidos grasos saturados: 8,28 g)

Glúcidos: 6,37 g

---

**¿SABÍAS QUE...?**
Puedes variar el puré con
espinacas por lo que quieras:
arroz blanco, espinacas
a la crema, pasta, tomate
cortado a trozos... Pero fíjate
que entren los tres grupos
de alimentos: proteínas
(huevo), verdura e hidratos
de carbono (pasta, arroz,
patatas, legumbres...).
Así conseguirás un plato
completo.

## Preparación

1) Preparar el puré con espinacas siguiendo las explicaciones de la receta «Gratinado de puré y espinacas» (pág. 127).

2) Hacer el «huevo mágico» de la siguiente manera: coger un vaso pequeño tipo cortado o una taza de café. Cascar el huevo en el vaso y taparlo con un platito. Introducirlo en el microondas a máxima potencia.

3) En el momento en que se oigan 3 «puf» (aproximadamente 40 segundos), el huevo ya está hecho. Dejarlo reposar un poquito y sacar del molde.

4) Terminar el plato poniendo una base de puré en forma de nido, encima el huevo y a un lado, la salsa de tomate al gusto.

## Trucos

El huevo mágico tendrá la forma que le des, según el recipiente en el que lo hagas. Sólo debes vigilar que la yema quede cubierta por la clara, es decir, nunca cojas un vaso muy ancho.
Puedes variar la salsa de tomate por lo que quieras: mayonesa, *ketchup*...
A tu hijo le encantará hacer el huevo mágico.
Si tienes prisa puedes sustituir el puré con espinacas por espinacas a la crema que venden congeladas.

arta para celíacos

ovolacteo-vegetariano

# Huevo sorpresa

**Ingredientes**

4 huevos

1 coliflor

150 g de queso emmental rallado

40 g de mantequilla

80 ml de leche

Pimienta negra

## Preparación para la *Thermomix*

1) Poner en el vaso 800 l de agua a temperatura varoma 8 minutos, velocidad 1 1/2. Colocar el recipiente varoma y hacer la coliflor al vapor.

2) Vaciar el agua y poner dentro la coliflor con la leche y la mantequilla. Salpimentar. Triturarlo 3 minutos a máxima potencia.

3) Escoger moldes de *soufflé* y repartir el puré de coliflor; poner encima una capa de queso y añadir la yema de huevo.

4) Batir las claras a punto de nieve con la mariposa, un minuto por clara a velocidad 3 1/2, habiendo limpiado muy bien el vaso.

5) Poner encima de la yema una buena cantidad de clara en forma de cúpula. Espolvorear con queso rallado y hornear 10 minutos a 200 ℃. Servir inmediatamente.

## Trucos

Puedes hacer lo mismo con puré de patatas en vez de coliflor, pero no tengas miedo a la coliflor, les gustará a los niños.

Puedes variar el queso de encima del puré por sobrasada, chistorra o chorizo desmigado.

Puedes utilizar el puré de coliflor para acompañar carnes o pescado azul. Añade una fruta de postre, sirve el huevo con pan de acompañamiento y ya tendrás un plato completo.

**VALORACIÓN NUTRICIONAL**

(1 COMENSAL)

Energía: 333,30 kcal

Proteínas totales: 20,86 g

Lípidos totales: 25,69 g

(Ácidos grasos saturados: 13,51 g)

Glúcidos: 4,66 g

# Huevos al estilo de Cardedeu

**Ingredientes**

8 huevos

600 ml de leche

25 g de mantequilla

100 g de queso rallado

45 g de harina de trigo

1 kg de cebolla

Aceite de oliva

## Preparación

1) Cortar la cebolla a dados y pocharla con aceite de oliva.

2) Hacer los huevos duros y cortarlos en rodajas.

3) Hacer la bechamel, mezclando durante unos minutos la harina en la mantequilla, hasta que adquiera un color dorado (sin dejar de remover). Añadir la leche poco a poco revolviendo, hasta que hierva. Dejar cocer suavemente durante 10 minutos. Salpimentar.

4) En una fuente que vaya al horno poner un poco de bechamel, los huevos duros, otra capa de bechamel, una de cebolla, y acabarlo con una capa de bechamel con queso rallado encima.

5) Gratinar y servir caliente.

## Trucos

Si tienes *Thermomix*, corta la cebolla a velocidad 4, 2 o 3 segundos. Añade 50 gramos de aceite, una pastilla de caldo de carne o verduras y programa 30 o 35 minutos a velocidad 1 1/2 a temperatura varoma. Si en casa os gusta más dorada, una vez la retires del vaso, pásala 4 o 5 minutos por la sartén a fuego fuerte. Para hacer la bechamel vierte la mantequilla, la leche, la harina y la sal y programa 7 minutos a 90 °C, velocidad 4. Si tienes prisa, usa bechamel ya hecha de la que venden en supermercados.

### VALORACIÓN NUTRICIONAL

(1 COMENSAL)

**Energía:** 336,35 kcal

**Proteínas totales:** 14,16 g

**Lípidos totales:** 23,72 g

(Ácidos grasos saturados: 8,04 g)

**Carbohidratos:** 16,56 g

# Revuelto con espárragos a la vinagreta de parmesano

### Ingredientes

15 espárragos trigueros

5 huevos

80 g de jamón del país

30 g de queso parmesano rallado

2 cucharaditas de vinagre de vino

5 cucharadas de aceite de oliva

Pimienta negra

## VALORACIÓN NUTRICIONAL

(1 COMENSAL)

**Energía:** 325,51 kcal

**Proteínas totales:** 20,02 g

**Lípidos totales:** 26,70 g

(Ácidos grasos saturados: 6,64 g)

**Glúcidos:** 1,29 g

## ¿SABÍAS QUE...?

Los espárragos son una fuente destacada de flavonoides, potentes antioxidantes que neutralizan la acción de los radicales libres.

## Preparación

1) Quitar el tallo duro de los espárragos y hervirlos en tres centímetros de agua con un poco de sal hasta que estén tiernos. También se pueden cocinar en el microondas con un chorro de aceite durante 4 minutos, a máxima potencia.

2) Hacer una vinagreta con el aceite, la mostaza, el vinagre y la sal. Añadir el queso parmesano.

3) En una fuente plana poner los espárragos con la vinagreta y dejarlo reposar.

4) Hacer los huevos revueltos con 2 cucharadas de aceite. Salpimentar.

5) Servir los huevos con los espárragos en forma de estrella encima de unas tostadas, con el jamón cortado a tiras finas por encima.

## Trucos

Añade a los huevos 4 cucharadas de agua, quedan muy jugosos, mejor que con leche o vino.

Si no les gustan los espárragos sustitúyelos por cualquier verdura u hortaliza.

Puedes hacer el revuelto con gulas, atún, chorizo... Esta receta, con la base de tostada, es un plato completo.

# Sándwich de calabacín y huevo

**Ingredientes**

1 calabacín

2 tomates

4 huevos

8 rebanadas
de pan de molde sin corteza

4 rodajas de fiambre de pavo 99%
libre de grasa

1 cucharada de mostaza

1 cucharada de albahaca picada

3 cucharadas de aceite de oliva

## Preparación

1) Untar cuatro rebanadas de pan con una capa muy fina de mostaza. Cortar el tomate en rodajas de 3 milímetros de grosor y el calabacín en rodajas lo más finas posibles (va muy bien ayudarse de una mandolina).

2) Cocinar el calabacín al vapor hasta que esté tierno (4 o 5 minutos aproximadamente) o en el microondas, tapado, con una cucharada de aceite unos 3 minutos a máxima potencia.

3) Hacer el revuelto en una sartén con 2 cucharadas de aceite, añadiendo a los huevos, la albahaca picada y sal.

4) En cada una de las otras rebanadas poner una loncha de pavo, 4 rodajas de tomate, calabacín y el huevo revuelto. Acabar el sándwich poniendo la rebanada untada con mostaza.

5) Cortar el sándwich en triángulos y acompañarlo con lechugas variadas.

## Trucos

Coloca la loncha de pavo como si fuera una sábana arrugada, queda muchísimo mejor.

Si no os gusta mucho la mostaza, pon una capa fina, pero no prescindas de ella, le da un toque especial.

Si no encuentras albahaca fresca, no utilices la seca, ya que no tiene sabor. Emplea en su lugar una cucharadita de café de salsa pesto. Puedes encontrarla hecha en cualquier supermercado.

**VALORACIÓN NUTRICIONAL**

(1 COMENSAL)

Energía: 472,44 kcal

Proteínas totales: 42,40 g

Lípidos totales: 16,80 g

(Ácidos grasos saturados: 3,77 g)

Glúcidos: 33,88 g

# Timbal de calabacín y dos quesos

### Ingredientes

1 calabacín

4 huevos

4 lonchas de jamón york

40 g de queso emmental rallado

40 g de queso parmesano rallado

2 cucharadas de aceite de oliva

## VALORACIÓN NUTRICIONAL

(1 COMENSAL)

**Energía:** 253,84 kcal

**Proteínas totales:** 20,94 g

**Lípidos totales:** 18,13 g

(Ácidos grasos saturados: 6,19 g)

**Glúcidos:** 1,74 g

## ¿SABÍAS QUE...?

La casi ausencia de lactosa en el queso lo hace muy interesante para algunas personas que son intolerantes a este producto, ya que les permite acceder a una fuente de calcio alternativa a la leche. Recuerda, además, que la aportación vitamínica del queso es mejor cuanta más grasa contenga la variedad.

## Preparación

1) Pelar el calabacín y rallarlo; introducirlo en el microondas con el aceite. Taparlo y cocinarlo unos 3 minutos aproximadamente. Tiene que quedar cocido pero con cuerpo.

2) Cortar el jamón york en trozos pequeños.

3) Cada ración se ha de realizar por separado. En un vaso de chacolí batir un huevo, añadir una cuarta parte de los quesos, del calabacín y del jamón.

4) Mezclarlo bien con el tenedor y cocinarlo un minuto a 450 W de potencia en el microondas. Repetir la misma operación tres veces más. Para cocinar los 4 vasos a la vez programar aproximadamente 4 minutos de tiempo.

5) Servir, si se desea, con bechamel clarita, salsa de tomate o con un chorro de aceite de oliva.

## Trucos

Rallar el calabacín más bien grueso, eso hace que el timbal quede jugoso.

Lo más delicado de este plato es la cocción: si pasado un minuto ves que está un poco crudo, déjalo reposar porque con el calor del huevo acabará de cocerse. Si se cuece demasiado quedará reseco.

Puedes servir este plato caliente o frío.

Aunque sea facilísimo de hacer, prueba a servirlo cuando tengas invitados y verás qué éxito.

Si a tus hijos no les gusta el queso, prescinde de él. Entonces añade 50 mililitros de nata líquida y sal.

# POSTRES

Tartas, púdines, helados, sopas, frutas y postres bajos en calorías.
Formas divertidas para acabar bien la comida.

vegetariano

# Pan con chocolate

### Ingredientes

16 rebanadas de pan

2 plátanos

8 onzas de chocolate negro
en tableta (70% de cacao)

1 cucharada de cacao

## VALORACIÓN NUTRICIONAL

(1 COMENSAL)

Energía: 300,44 kcal

Proteínas totales: 7,50 g

Lípidos totales: 6,70 g

(Ácidos grasos saturados: 3,60 g)

Glúcidos: 52,53 g

## ¿SABÍAS QUE...?

El chocolate negro es un producto elaborado a partir de cacao y manteca de cacao pero no contiene leche. Los chocolates se diferencian entre ellos por el distinto contenido de cacao que contienen; así, ante la duda, cuanto mayor porcentaje de cacao, menos grasa.

## Preparación

1) Poner un trozo de chocolate encima de cada rebanada e introducirlo en el microondas muy pocos segundos, 4 o 5. Debe quedar casi fundido. Esto no lo conseguiremos con otro tipo de chocolate más grueso, sólo con el de 70% de cacao, que es muy fino.

2) Cortar el plátano en rodajas y ponerlo en la fuente del microondas alternándolo con el pan. Espolvorear con cacao.

3) A la hora de comerlo poner una o dos rodajas de plátano encima de cada rebanada de pan con chocolate.

## Trucos

Puedes servir este postre en la misma fuente de cristal del microondas.

Puedes dejar preparadas las rebanadas con el chocolate encima y en el último momento añadir el plátano, ya que se oxida y enseguida se vuelve negro.

Para que se derrita el chocolate de todas las rebanadas a la vez, ponlas en paralelo al borde del plato, ya que las ondas llegan mejor que en el centro del plato.

Este plato sirve de postre, merienda o tentempié.

# Pastel de chocolate

**6**

### Ingredientes

4 huevos

150 g de almendras molidas

125 g de azúcar

250 g de chocolate negro
en tableta

125 g de mantequilla

125 ml de nata líquida

## Preparación

1) Cortar 125 gramos de chocolate en trozos pequeños y ponerlo en el microondas tapado un minuto y medio a máxima potencia. Removerlo para que se acabe de deshacer.

2) La mantequilla la tendremos en pomada –es decir, blandita– e iremos añadiendo cuchara a cuchara el chocolate deshecho.

3) Agregar las yemas una a una, el azúcar y las almendras. Batir las claras a punto de nieve, añadir una tercera parte a la mezcla anterior, y cuando esté amalgamado, incorporar el resto, removiendo de una manera envolvente.

4) Verter en un molde y ponerlo 20 minutos en el horno previamente calentado a 180 ºC. También se puede cocinar 5 minutos en el microondas a máxima potencia.

5) Para la cobertura calentar la nata. Ir tirando el chocolate restante, cortado a trozos pequeños, removiendo hasta que quede totalmente deshecho.

6) Cubrir el pastel y dejarlo enfriar.

## Trucos

Puedes dejarlo preparado un día antes: al no tener harina tarda muchísimo en ponerse duro.

Si lo haces en el microondas no lo cuezas más, porque aunque te parezca que está un poco crudo en el centro, sólo dejándolo reposar quedará perfecto.

### VALORACIÓN NUTRICIONAL

(1 COMENSAL)

Energía: 696,13 kcal

Proteínas totales: 12,31 g

Lípidos totales: 53,46 g

(Ácidos grasos saturados: 24,24 g)

Glúcidos: 41,45 g

# Tarta de Santiago

### Ingredientes

4 huevos

1 limón

200 g de almendra molida

200 g de azúcar

3 cucharadas de azúcar glas

1 pizca de canela

## Preparación

1) Mezclar los huevos con el azúcar, la ralladura del limón y la canela en polvo hasta que estén esponjosos. Con la espátula añadir la almendra (cruda) poco a poco.

2) Rellenar un molde previamente untado con mantequilla y espolvoreado con harina, y cocer en el horno a 150 ºC durante 30 minutos.

3) Una vez frío decorar con azúcar glas, dibujando si se desea una cruz de Santiago para decorar la tarta.

## Trucos

Puedes hacer la tarta en el microondas, poniéndola 5 minutos a máxima potencia; después gratínala en el horno.

### ¿SABÍAS QUE...?

La almendra es una excelente fuente de vitamina E que previene afecciones cardiacas; vitamina B y ácido fólico. Además, es rica en aminoácidos esenciales, en minerales como el magnesio, el fósforo y el calcio, que refuerzan los huesos y los músculos, y en elementos que ayudan al rendimiento intelectual, como el cinc y el hierro.

### VALORACIÓN NUTRICIONAL

(1 COMENSAL)

Energía: 399,75 kcal

Proteínas totales: 10,61 g

Lípidos totales: 21,67 g

(Ácidos grasos saturados: 2,48 g)

Glúcidos: 40,57 g

arte para celíacos    vegetariano

# Pastel de queso *light*

### Ingredientes

2 huevos

3 yogures de limón desnatados

300 g de queso Philadelphia *light*

25 de maicena

300 g de fresones

2 cucharadas de edulcorante

Mesura

Mermelada de fresa *light*

## Preparación

1) Colocar el queso, los yogures, el edulcorante Mesura, los huevos y la maicena en un cuenco; batir con el *Minipimer* hasta que quede una masa homogénea.

2) Verter la masa en un molde engrasado con mantequilla y poner en el microondas 15 minutos al 75% de potencia.

3) Cuando se enfríe, desmoldar y cubrir con una capa fina de mermelada. Poner encima los fresones partidos por la mitad.

## Trucos

Si quieres hacerlo con la *Thermomix*, introduce todos los ingredientes en el vaso y programa 2 minutos a velocidad 5-7-9. A continuación, vierte la masa en un molde que quepa en el recipiente varoma, tápalo bien con su tapadera o con papel de aluminio y pon encima papel de cocina para que absorba el líquido que produce el vapor. Tapa el recipiente varoma y reserva. Pon en el vaso 1/2 litro de agua.

A continuación, programa 35 minutos, temperatura varoma, velocidad 2.

Una vez hecho, déjalo reposar, sácalo del molde y decóralo con la mermelada y la fruta.

---

**VALORACIÓN NUTRICIONAL**

(1 COMENSAL)

Energía: 164,28 kcal

Proteínas totales: 4,54 g

Lípidos totales: 46,50 g

Glúcidos: 8,17 g

apta para celíacos  vegetariano

# Helado
# con frutas rojas calientes

**5**

**Ingredientes**

200 g de frutos rojos
congelados

1/2 l de helado de vainilla

20 g de mantequilla

2 cucharadas de azúcar

1 chorrito de coñac

---

**VALORACIÓN NUTRICIONAL**

(1 COMENSAL)

Energía: 349,77 kcal

Proteínas totales: 5,14 g

Lípidos totales: 16,68 g

(Ácidos grasos saturados: 10,56 g)

Glúcidos: 41,07 g

---

**¿SABÍAS QUE...?**
La frambuesa es rica
en vitamina C y fibra
(pectina). El conjunto
de frutos rojos tiene
la capacidad de combatir
la fijación de las bacterias
en la mucosa de la vejiga,
ayudando a mantener sano
el tracto urinario.

## Preparación

1) Colocar el helado en 4 copas individuales.

2) Fundir la mantequilla en una sartén y poner
   las frutas directamente congeladas rociándolas
   con el azúcar. Al cabo de 5 minutos, cuando
   ésta se funda, verter el chorrito de licor.

3) Poner enseguida las frutas encima
   del helado y servir inmediatamente.

## Trucos

Los frutos congelados sueltan agua. Cuando los
eches en la sartén déjalos hervir un poco para que
se evapore el agua.

También se pueden emplear frutos frescos, pero son
más delicados y necesitan menos tiempo de sartén.

Es muy cómodo tener las copas de helado
preparadas en el congelador y las frutas en la sartén.
En el momento de servir, calienta 2 minutos las
frutas y sírvelas muy calientes encima del helado
muy frío.

No te preocupes por el coñac, ya que con el calor
el alcohol se evapora.

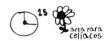

# Sopa fría de cítricos con fruta roja

**Ingredientes**

4 bolas de helado de limón

7 naranjas

25 g de arándanos

25 g de frambuesas

25 g de fresas

## Preparación

1) Hacer zumo de naranja.

2) Preparar 4 platos de sopa o cuatro cuencos y repartir el zumo de naranja.
Poner 5 o 6 frutas rojas en cada plato, flotarán.
Por último añadir una bola de helado.
Servir al momento.

## Trucos

Puedes añadir dos cucharadas de menta picada al zumo de naranja si a tus hijos les gusta.

También puedes cambiar los frutos del bosque por fresones cortados a trozos pequeñitos.

Haz el zumo en el último momento.

¿SABÍAS QUE...?

**Las naranjas son ricas en calcio, magnesio, fósforo, potasio y sodio.**
**Los arándanos, por su parte, contienen sustancias conocidas como antocianos, arbutina, ácido quínico e hipúrico, taninos y ácido benzoico, siendo éstos los que les confieren importantes propiedades antioxidantes, ayudando principalmente a prevenir infecciones urinarias.**

**VALORACIÓN NUTRICIONAL**

(1 COMENSAL)

**Energía:** 161,51 kcal

**Proteínas totales:** 2,38 g

**Lípidos totales:** 6,58 g

(Ácidos grasos saturados: 3,92 g)

**Glúcidos:** 22,92 g

ovolacteo-vegetariano    apta para celíacos

# Bavaresa de piña al aroma de menta

**Ingredientes**

1 lata de 560 g de piña en su jugo

250 g de yogur de piña desnatado

3 ramas de menta

3 cucharaditas de gelatina neutra

## Preparación

1) Separar el jugo de la piña.

2) En una batidora mezclar el jugo (200 ml aproximadamente) con 2 rodajas de piña; una vez hecho el puré, añadir los yogures y 2 rodajas más a daditos pequeños.

3) En un vaso disolver la gelatina con un dedo de agua, calentarlo en el microondas a media potencia y agregarlo a la mezcla anterior.

4) Introducir la masa en moldecitos o vasos pequeños y dejarlos en el frigorífico hasta que adquiera consistencia.

5) Para emplatar, colocar una rodaja de piña y encima la bavaresa. Finalizar el plato con una rama de menta.

## Trucos

Si quieres usar cualquier vaso o taza como molde y que no se te enganche, fórralo con film transparente.

### ¿SABÍAS QUE...?

Es una receta ideal como postre ya que es muy nutritiva y se puede consumir en un régimen de adelgazamiento. Es un postre muy proteínico pero con un 0% de grasa, ya que los ingredientes son desnatados y por tanto, se ha eliminado la porción grasa. Además la piña le confiere propiedades digestivas que ayudan a mejorar el tránsito intestinal.

### VALORACIÓN NUTRICIONAL

(1 COMENSAL)

Energía: 44,86 kcal

Proteínas totales: 1,83 g

Lípidos totales: 0,06 g

(Ácidos grasos saturados: 0,03 g)

Glúcidos: 9,26 g

# *Mousse* de limón con sorbete de mandarina

 **5**

### Ingredientes

500 g de mandarinas

50 g de azúcar

10 g de edulcorante Mesura

1 lata de leche Ideal

3 limones

---

**VALORACIÓN NUTRICIONAL**

(1 COMENSAL)

**Energía:** 218,75 kcal

**Proteínas totales:** 8,29 g

**Lípidos totales:** 6,93 g

(Ácidos grasos saturados: 4,15 g)

**Glúcidos:** 30,69 g

---

**¿SABÍAS QUE...?**

Esta *mousse* tiene muy poca grasa, además de dosis muy elevadas de vitamina C, un potente antioxidante que ha demostrado ejercer un efecto beneficioso sobre el sistema nervioso simpático, controlando el ritmo cardiaco y otras respuestas involuntarias del organismo.

## Preparación para la *Thermomix*

1) Poner el bote de leche Ideal en la nevera 24 horas antes.

2) Exprimir dos limones. Verter la leche en el vaso con la mariposa. Batirlo 3 minutos a velocidad 3 sin parar la máquina y sin el cubilete; añadir poco a poco el zumo y el edulcorante (casi un cubilete).

3) Continuar montándolo hasta que se oiga un sonido hueco, algo como «glub», y se vea que adquiere una consistencia parecida a la nata. Entonces, parar la máquina.

4) Si se desea se puede acompañar con sorbete de mandarina. Para hacerlo, congelar la mandarina a gajos y mezclarla con el azúcar y un limón pelado y sin nada de piel blanca. Batir progresivamente hasta conseguir la textura deseada.

5) Servir la *mousse* con un poco de sorbete al lado y decorarlo con un poco de ralladura de limón.

## Trucos

Es imprescindible que la leche Ideal esté muy fría; si no, no sube. Lo mejor es ponerla en la parte alta de la nevera.

En el momento en que oigas el ruido y veas la consistencia de nata, para la máquina (si sigues se bajará y ya no te saldrá bien). Si te pasa la primera vez, no te desanimes, vuelve a intentarlo, vale la pena: es un postre espectacular.

15 ovolacteo-vegetariano  apta para celíacos

# *Mousse* de chocolate

### Ingredientes

150 g de chocolate negro
en tableta

200 g de queso batido

50 g de almendras en tiras

3 claras de huevo

5 cucharadas de edulcorante

Mesura

## Preparación

1) Fundir el chocolate en el microondas durante un minuto a la máxima potencia.

2) Montar las claras a punto de nieve.

3) Mezclar rápidamente el chocolate fundido con el queso y añadir 5 cucharadas de edulcorante.

4) Incorporar las claras revolviendo de modo envolvente para que no se bajen.

5) Ponerlo en la nevera hasta que se compacte un poco. Tostar las almendras en una sartén sin una gota de aceite.

6) Antes de servir, añadir las almendras en tiras.

## Trucos

Como queso batido nos referimos al queso quark, que sólo se puede encontrar en la zona de refrigerados del supermercado, pero hay quesos batidos 0% de las marcas Hacendado y Lidl, entre otras. Usando este queso bajamos más el aporte calórico.

### ¿SABÍAS QUE...?

Existe una leyenda que relaciona el chocolate con efectos estimulantes. Es cierto que contiene unas sustancias que podrían justificar la «chocolate-manía». Pero aun así, el contenido real de estos componentes oscila entre el 1% y el 2% y el poder excitante de la teobromina es mínimo.

### VALORACIÓN NUTRICIONAL

(1 COMENSAL)

Energía: 334,39 kcal

Proteínas totales: 12,72 g

Lípidos totales: 23,12 g

Glúcidos: 18,91 g

# Copa de limón con frutas tropicales

5

**Ingredientes**

2 huevos

2 kiwis

2 limones

1 mango

1 melón

1 papaya

11 cucharadas de azúcar

2 cucharadas de maicena

2 vasos de agua

6 hojas de menta

## Preparación

1) En una olla poner los 2 vasos de agua, la maicena, el azúcar, el jugo, la ralladura de la piel de los 2 limones y los huevos batidos tipo tortilla. Revolver bien.

2) En cuanto empiece a hervir, retirar y reservar.

3) Hacer bolitas de melón y papaya, cortar el kiwi a rodajas y el mango muy fino.

4) Colocar en copas un poco de crema de limón y encima un poco de cada fruta.
Decorar con hojas de menta.

## Trucos

Para que se enfríe, guárdala en la nevera poniendo un film transparente encima a fin de que no haga una capa mate por encima.

Puedes variar la fruta y poner la que quieras.

Si quieres puedes dejar la crema preparada un día o dos antes.

**VALORACIÓN NUTRICIONAL**

(1 COMENSAL)

Energía: 325,82 kcal

Proteínas totales: 2,83 g

Lípidos totales: 2,10 g

(Ácidos grasos saturados: 0,51 g)

Glúcidos: 73,91 g

15 arta para celíacos  vegetariano  sin lactosa

# Barcos veleros de fresones

### Ingredientes

400 g de fresones

100 g de chocolate negro
en tableta

75 g de azúcar

1 limón

5 hojas de menta

---

**VALORACIÓN NUTRICIONAL**

(1 COMENSAL)

Energía: 257,48 kcal

Proteínas totales: 2,21 g

Lípidos totales: 9,18 g

(Ácidos grasos saturados: 5,34 g)

Glúcidos: 41,44 g

---

**¿SABÍAS QUE...?**

El fresón es diurético, mejora el estreñimiento y las hemorroides, y masticándolo lentamente ayuda a disolver el sarro dental. Es una gran fuente de vitamina C y fibra; y también contiene calcio. Por todo ello es muy importante que las frutas frescas estén presentes cada día en la dieta.

## Preparación

1) Limpiar y cortar los fresones de forma que queden planos y se aguanten verticales.

2) En un cazo hacer un caramelo con el azúcar, dos cucharadas de agua y un chorrito de limón. Cuando el azúcar ya esté caramelizado, apagar el fuego.

3) Verter el caramelo en una hoja de silicona o en el mármol untado con aceite. Conseguir que quede una capa muy fina.

4) Fundir el chocolate en el microondas un minuto y medio aproximadamente. Para hacer la salsa, añadir agua caliente hasta que se observe la textura adecuada.

5) Montar el plato poniendo los fresones en el centro, chocolate alrededor y triángulos de caramelo pinchados en los fresones, como si fueran velas de barco. Espolvorear con menta picada o cacao.

## Trucos

Es muy importante que el agua que se añade al chocolate sea caliente, ya que si es fría hará que el chocolate se compacte. Ve añadiéndola poco a poco, puedes utilizar agua caliente del grifo. Si quieres sofisticar el plato agrega una pizca de pimienta al caramelo cuando estés fundiendo el azúcar.

# *Brûlée* de fruta y yogur griego

**Ingredientes**

375 g de yogur griego

100 g de azúcar de caña

50 g de frambuesas

1 manzana

1 pera

2 nectarinas

## VALORACIÓN NUTRICIONAL

(1 COMENSAL)

**Energía:** 217,91 kcal

**Proteínas totales:** 4,33 g

**Lípidos totales:** 2,87 g

(Ácidos grasos saturados: 1,58 g)

**Glúcidos:** 43,68 g

### ¿SABÍAS QUE...?

La pera es antianémica, diurética y laxante. Es muy digestiva, especialmente cocida o en mermelada. Elimina el ácido úrico y es astringente. La nectarina contiene minerales, oligoelementos y vitaminas, especialmente vitamina C. El yogur es una inmejorable fuente de calcio.

## Preparación

1) Pelar la fruta y cortar las nectarinas y la manzana a gajos y la pera a cuadrados.

2) Colocar en un plato pequeño la ración de fruta para una persona: disponer en forma de abanico la fruta cortada a dados y en los extremos, la pera y las frambuesas.

3) Colocar encima de la fruta yogur y una buena capa de azúcar negro. Reservar en la nevera durante dos horas aproximadamente.

4) Antes de servir colocar bajo el grill hasta que el azúcar se cristalice ligeramente y el yogur se haya fundido un poco sobre las frutas. Servir de inmediato.

## Trucos

Puedes cambiar el tipo de fruta, teniendo cuidado de que no sea muy acuosa, como la naranja o el kiwi.

Para que la receta quede espectacular, lo único que tienes que cuidar es la combinación de colores que haces con la fruta.

# Copa de mermelada de albaricoque y yogur

**Ingredientes**

3 yogures naturales

2 kiwis

4 cucharadas de miel

175 ml de zumo de naranja

175 g de orejones
de albaricoques

## Preparación

1) Hervir el zumo de naranja con los orejones, hasta que estén blandos e hinchados.

2) Pasarlo por el *Minipimer* y reservar.
   Ya tenemos la mermelada.
   Cortar los kiwis a dados.

3) En una copa poner una base de mermelada de albaricoque, el yogur y por último, el kiwi a dados. Si se desea, rociar con un poco de miel o con una galleta desmigada.

## Trucos

Elige una copa transparente para colocar este postre; la combinación de colores es preciosa.
En lugar de kiwis puedes utilizar fresones o mezclarlos con los kiwis.
La mezcla de albaricoques es una mermelada sin ningún azúcar añadido, también le puedes dar otras aplicaciones.
Si el yogur te parece muy ácido, elige uno azucarado.

**VALORACIÓN NUTRICIONAL**

(1 COMENSAL)

**Energía:** 219,27 kcal

**Proteínas totales:** 5,87 g

**Lípidos totales:** 3,11 g

(Ácidos grasos saturados: 1,59 g)

**Glúcidos:** 41,68 g

arta para celiacos

ovolacteo-vegetariano

# Copa de yogur y fruta caramelizada

### Ingredientes

250 g de yogur natural

25 g de pasas de Corinto

2 manzanas

2 peras

1 cucharada de azúcar de caña

1 cucharada de canela

1 cucharada de mantequilla

---

**VALORACIÓN NUTRICIONAL**

(1 COMENSAL)

Energía: 195,86 kcal

Proteínas totales: 3,18 g

Lípidos totales: 7,32 g

(Ácidos grasos saturados: 4,25 g)

Glúcidos: 29,32 g

---

**¿SABÍAS QUE...?**
En general se puede decir que el valor energético de la fruta oscila entre las 30 y las 50 kcal por cada 100 g, por lo que no existe ningún motivo para prohibir el consumo de fruta al final de cada comida.

## Preparación

1) Pelar la fruta; cortar la manzana como si fuera para hacer tarta de manzana y la pera a cuadraditos.

2) En un recipiente apto para microondas introducir la pera, la manzana y las pasas.
Taparlo y cocinar a máxima potencia 4 minutos. Cuando destapemos podremos apreciar que las pasas están hinchadas, ya que han absorbido el agua que suelta la fruta.

3) En una sartén deshacer la mantequilla, añadir el azúcar y cuando empiece a fundirse incorporar la fruta cocida. Cuando empiece a coger color retirarlo del fuego.

4) Repartir el yogur en 4 copas y cubrirlo con la fruta. Si se va a servir inmediatamente se puede hacer un postre tibio. Es decir, el yogur frío y la fruta caliente; si no, dejar enfriar la fruta y montar el postre; reservarlo en la nevera.

5) Espolvorear con canela al final.

## Trucos

Otra opción es hacer este postre con helado de vainilla en vez de con yogur.
Puedes cambiar el azúcar de caña por azúcar blanco.
Si no te gustan las pasas prescinde de ellas; las puedes cambiar por orejones o dátiles a dados.
Si el yogur te parece muy ácido, elige uno azucarado.

apta para celíacos
ovolacteo-vegetariano

# Copa de mango con crujiente de avellanas

### Ingredientes

400 g de mango

40 g de avellanas

40 g de azúcar glas

15 g de mantequilla

1 yogur natural

1 huevo

1/2 limón

---

### VALORACIÓN NUTRICIONAL

(1 COMENSAL)

**Energía:** 231,97 kcal

**Proteínas totales:** 5,16 g

**Lípidos totales:** 12,11 g

(Ácidos grasos saturados: 3,41 g)

**Glúcidos:** 25,60 g

---

### ¿SABÍAS QUE...?

El mango es rico en vitaminas A y C, y las avellanas son fuente de ácidos grasos insaturados (principalmente ácido oleico), vitamina E, fibra y minerales.

## Preparación

1) Pelar el mango y hacer la crema batiéndolo con el yogur y unas gotas de limón en el *Minipimer*. Reservarla en la nevera. Precalentar el horno a 200 ºC.

2) Picar las avellanas y mezclarlas en una batidora con el azúcar y el huevo. Sobre una base de silicona o un papel vegetal hacer unas tiras largas de un centímetro de ancho y hornearlo unos 3 o 4 minutos hasta que esté dorado.

3) Colocar la crema en las copas decorándola con unos dados de mango y clavar por encima el crujiente de avellanas justo antes de servir.

## Trucos

Si no tienes papel vegetal ni una placa de silicona, coge simplemente un par de folios, príngalos bien de aceite y pon encima la masa de los crujientes. Pon las gotas de limón si el mango es muy maduro. Si tienes la *Thermomix*: pon azúcar normal en el vaso bien seco y programa unos segundos velocidad 5-7-9, para obtener el azúcar glas; añade entonces las avellanas, el huevo y la mantequilla y programa 4 minutos a velocidad 5, sin temperatura. Cuece en el horno como se explica arriba. Para la crema, mezcla el mango y el yogur en el vaso y tritura 4 minutos a velocidad 5-7-9, sin temperatura, o hasta que quede una masa bien fina.

30 · Apta para celíacos · ovolacteo-vegetariano

# Fresones con canela y yogur griego

**5**

### Ingredientes

100 ml de agua

40 g de azúcar

60 g de miel

500 g de fresones

2 yogures griegos

4 cucharadas de vinagre de Módena

1 rama de canela

1 rama de menta

## Preparación

1) Limpiar los fresones y ponerlos, aún húmedos, con el azúcar.

2) En un cazo poner al fuego el agua, la miel y la canela.

3) Cuando hierva, añadir el vinagre de Módena y apagar el fuego. Retirar la rama de canela. Poner en este líquido los fresones y dejar que se enfríe.

4) Colocar en el fondo de un plato hondo o vaso de chacolí la infusión de fresones con su jugo agridulce, y sobre ellos, unas cucharadas de yogur griego. Decorar con las hojas de menta.

## Trucos

Aunque este postre tenga vinagre les gusta mucho a los niños.

Puedes prepararlo con 4 horas de antelación: el único detalle es no añadir el yogur hasta el final para que no se manche, o simplemente prescindir de él.

### ¿SABÍAS QUE...?

La miel aporta azúcares (fructosa y glucosa), vitaminas y minerales. Además de sus propiedades como alimento, se ha demostrado que la miel posee propiedades antisépticas, calmantes, laxantes y diuréticas.

### VALORACIÓN NUTRICIONAL

(1 COMENSAL)

Energía: 157,37 kcal

Proteínas totales: 2,50 g

Lípidos totales: 5,30 g

Glúcidos: 24,46 g

arta para celíacos ovolacteo-vegetariano

# Postre de naranja con *quenelle* de fresones y pera

### Ingredientes

150 g de fresones

1 naranja

1 pera blanquilla

1 botellita de yogur batido

1 rama de menta

---

**VALORACIÓN NUTRICIONAL**

(1 COMENSAL)

Energía: 132,89 kcal

Proteínas totales: 3,56 g

Lípidos totales: 0,99 g

(Ácidos grasos saturados: 0,42 g)

Glúcidos: 26,42 g

---

**¿SABÍAS QUE...?**

La naranja es antioxidante y depurativa. Contiene vitamina C, carotenos, sales minerales (sobre todo potasio), aunque también calcio, hierro, magnesio y cobre, en función de la cantidad en que se encuentren en las tierras de cultivo. No olvides que consumir fruta fresca diariamente permite completar y equilibrar nuestra alimentación.

## Preparación para la *Thermomix*

1) Pelar las naranjas muy bien, quitando todo lo blanco para que no amargue; lavar los fresones y quitarles el rabo. Pelar la pera.

2) Poner en el vaso los fresones y la pera y picarlo poquísimo, un segundo o dos, hasta que quede a dados la fruta. Reservar.

3) Triturar las naranjas con el yogur batido unos 5 minutos a 5-7-9 de potencia, o hasta que quede bien triturado.

4) Para emplatar servir cada ración en un plato sopero, es decir, dos *quenelles* de fruta, una ramita de menta para decorar y un generoso chorro del zumo de naranja y yogur.

5) Si se prefiere, llevar el zumo en una jarra aparte.

## Trucos

Este postre también puede ser un estupendo desayuno.

El colorido es muy atractivo con sólo fresones.

Si tienes la TH-21, no corta muy bien tan poca cantidad, por lo tanto, es aconsejable que lo hagas sólo con fresones (es más fácil), o simplemente corta la fruta a mano.

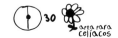 30  arta para celíacos  vegetariano sin lactosa

# Macedonia
# con salsa de frutos del bosque

**5**

**Ingredientes**

300 g de fresones

175 g de frutos rojos congelados

350 g de melón

2 kiwis

1 limón

1 melocotón

1 naranja

2 cucharadas de azúcar

## Preparación

1) Pelar y cortar las frutas. Hacer bolitas de melón con un vaciador especial.

2) Mezclar los frutos del bosque directamente congelados con el azúcar y hervirlos durante 6 o 7 minutos. Pasarlos por el *Minipimer*.

3) Colocar las frutas en una fuente formando tiras y jugando con los colores, rociarlas con un poco de salsa por encima, poner el resto en una salsera.

## Trucos

Para hacer este plato, elige cualquier fruta que no se oxide, es decir, que no se vuelva negra.

Si los frutos del bosque son muy ácidos añade más azúcar.

Deja que tus hijos te ayuden a colocar la fruta jugando con los colores o escogiendo ellos sus frutas predilectas.

Si quieres, puedes añadir salsa de chocolate.

**¿SABÍAS QUE...?**
El kiwi tiene 3 veces más vitamina C que la naranja. Las grosellas son antiinflamatorias, diuréticas, aumentan las defensas y van bien para el reuma. Los arándanos van bien para solucionar problemas de varices, hemorroides y flebitis. Son astringentes.

**VALORACIÓN NUTRICIONAL**

(1 COMENSAL)

**Energía:** 128,97 kcal

**Proteínas totales:** 2,06 g

**Lípidos totales:** 0,79 g

(Ácidos grasos saturados: 0,05 g)

**Glúcidos:** 28,13 g

# ANEXOS

Una guía muy útil para ayudarte a pensar
en los menús de toda la semana;
además, las recetas están ordenadas en forma de listas
para que te sea muy fácil encontrar la que estás buscando.

# Organización de un menú semanal

Organizar un menú según nuestras necesidades específicas (familia, gustos, dietas especiales) es el primer paso para realizar una buena gestión de nuestra alimentación.

Nuestro sistema es claro, fácil y muy adaptable. Siguiendo la pirámide de la alimentación mediterránea, veremos en primer lugar qué es lo que debemos comer cada semana, a grandes rasgos. Vamos a hacer diez grupos que no abarcan todos los alimentos, algunos como los frutos secos o los dulces no están contemplados, los primeros son aconsejables cada día y los segundos ocasionalmente.

No contemplamos los acompañamientos, pero la lógica nos dice que el acompañamiento sea de un grupo distinto al de los platos principales. Siguiendo nuestro ejemplo, el acompañamiento de la tortilla debería ser del grupo de verduras u hortalizas: por ejemplo, lechuga, champiñones...

**Frecuencia con la que hay que consumir los principales grupos de alimentos**

| | |
|---|---|
| **Pastas, cereales, patatas** | Una vez al día |
| **Verduras y hortalizas** | Una vez al día |
| **Fruta** | Una vez al día |
| **Lácteos** | Una vez al día |
| **Pescado blanco** | Dos veces a la semana |
| **Pescado azul** | Dos veces a la semana |
| **Ave** | Tres veces a la semana |
| **Huevos** | Tres veces a la semana |
| **Carne roja** | Una vez a la semana |
| **Legumbres** | De dos a tres veces a la semana |
| **Postres dulces** | Aconsejables ocasionalmente: una vez a la semana como máximo y si hay problemas de sobrepeso sólo alguna vez al mes. Preferentemente de elaboración casera. |

Por otra parte, muchos niños se quedan a comer en el colegio y si se quiere combinar el menú escolar con el familiar no hay problema: sencillamente hay que estudiar de qué grupos son sus menús y hacer los correctos para la cena. Los menús de los colegios suelen ser escasos en pescado y verduras por lo que, en caso de duda, lo mejor es dar a los niños a la hora de la cena alimentos de estos dos grupos.

Sabiendo cuántas veces hay que comer de cada grupo se puede confeccionar una tabla para organizar toda la semana. En ella sólo incluimos el almuerzo y la cena. Los desayunos deben estar compuestos básicamente por hidratos de carbono, lácteos y fruta.

**Pan o cereales:** 1-2 rebanadas o 1/2 bol en el desayuno, media mañana y/o merienda.
**Postres dulces:** de forma ocasional.

**Ejemplo de menú semanal**

| | LUNES | MARTES | MIÉRCOLES | JUEVES | VIERNES | SÁBADO | DOMINGO |
|---|---|---|---|---|---|---|---|
| **ALMUERZO** | Arroz, pasta o patatas | Legumbres | Verduras y hortalizas | Arroz, pasta o patatas | Verduras y hortalizas | Arroz, pasta o patatas | Verdura y hortalizas |
| | Huevos | Arroz, pasta o patatas | Arroz, pasta o patatas | Huevos | Ave | Carne | Pescado azul |
| | Guarnición de verduras y hortalizas | Guarnición de verduras y hortalizas | Pescado blanco<br><br>Guarnición de verduras y hortalizas | Guarnición de verduras y hortalizas | Guarnición de arroz, pasta o patatas | Guarnición de verduras y hortalizas | Guarnición de arroz, pasta o patatas |
| | Fruta | Lácteos | Fruta | Lácteos | Fruta | Fruta | Dulce |
| **CENA** | Verduras y hortalizas | Verdura | Arroz, pasta o patatas | Arroz, pasta o patatas | Arroz, pasta o patatas | Arroz, pasta o patatas | Arroz, pasta o patatas |
| | Pescado blanco | Ave | Huevos | Legumbres | Pescado azul | Legumbres | Ave |
| | Guarnición de arroz, pasta o patatas | Guarnición de arroz, pasta o patatas | Guarnición de verduras y hortalizas | Guarnición de verduras y hortalizas | Guarnición de verduras y hortalizas | Guarnición de verduras y hortalizas | Guarnición de verduras y hortalizas |
| | Lácteos | Fruta | Lácteos | Fruta | Fruta | Fruta | Fruta |

# Índices de recetas

# Recetas por tipo de plato

# Recetas por orden alfabético

# Un plato para cada ocasión

## Recetas para adelgazar, o mejor dicho, para que estabilicen su peso y cambien la tendencia

## Triunfa con tu *Thermomix*

## Recetas para invitados